NOUS ÉTIONS NÉS POUR ÊTRE HEUREUX

DU MÊME AUTEUR

Romans

Priez pour nous, Bernard Barrault, 1990 ; J'ai lu, 2011
Je voudrais descendre, Seuil, 1993
Comme des héros, Fayard, « Libres »,1996
Mon premier jour de bonheur, Julliard, 1996
Des hommes éblouissants, Julliard, 1997
Un jour, je te tuerai, Julliard, 1999 ; J'ai lu, 2002
Trois couples en quête d'orages, Julliard, 2000 ;
J'ai lu, 2003
Méfiez-vous des écrivains, Julliard, 2002 ; J'ai lu, 2004
Le Cahier de Turin, Julliard, 2003 ; J'ai lu, 2012
Écrire, Julliard, 2005
Le Chagrin, Julliard, 2010 ; J'ai lu, 2011
Colères, Julliard, 2011
L'Hiver des hommes, Julliard, 2012 ; J'ai lu, 2013
Vertiges, Julliard, 2013 ; J'ai lu, 2015
Échapper, Julliard, 2015 ; J'ai lu, 2016
L'Absente, Julliard, 2016 ; J'ai lu, 2017
Eugenia, Julliard, 2018 ; J'ai lu, 2019

Récits

*Il ne m'est rien arrivé (Récit d'un voyage
dans les pays en guerre de l'ex-Yougoslavie)*,
Mercure de France, 1994

Documents

Paroles de patrons (avec Stéphane Moles),
Alain Moreau, 1980
L'Affaire de Poitiers, Bernard Barrault, 1988
Hienghène, le désespoir calédonien,
Bernard Barrault, 1988
*Survivre avec les loups, la véritable histoire de Misha
Defonseca*, XO éditions, 2011

LIONEL DUROY

NOUS ÉTIONS NÉS POUR ÊTRE HEUREUX

roman

Julliard

© Éditions Julliard, Paris, 2019
ISBN : 978-2-260-05330-9
Dépôt légal : août 2019

À tous les miens.

« Il atteignait presque l'âge où l'univers devient brusquement plus beau, et se révèle d'une façon spéciale, dans chaque détail : un toit, un mur, le frémissement des feuilles avant la pluie. Maintenant que la vie raccourcissait, le monde s'ouvrait le temps d'un long regard passionné et tout ce qui avait été refusé était enfin accordé. »

James Salter,
Un bonheur parfait

Ils ont prévenu qu'ils arriveraient vers midi et quelle heure peut-il bien être, là ? Sept heures ? Sept heures et demie ? À quelle heure s'étaient-ils pointés l'année dernière ? Midi, dans son souvenir. À bord de cette invraisemblable Mercedes. Qu'ils fassent les sept cents kilomètres depuis Paris, seulement pour lui, l'avait touché. Mais plus encore l'avait ému qu'ils veuillent le voir chez lui. « Si tu es d'accord, Paul, on va venir dans ta maison », lui avait dit Maxime au téléphone. Ainsi avaient-ils voulu inscrire ce retour dans une forme de solennité, car aussi bien ils auraient pu choisir de le revoir dans une brasserie quelconque lors d'un de ses passages à Paris. À partir de onze heures il s'était mis à guetter les voitures sur la petite route, debout sur le perron de la cuisine qui permet de voir par-dessus la haie. Il était un peu nerveux et ne savait pas ce qu'il allait éprouver. La veille, il avait dit au téléphone à son amie Sarah qu'il se sentait plus embarrassé qu'ému. Quatre frères d'un seul coup et un neveu qu'il ne connaissait pas... Depuis quand ne se voyaient-ils plus ? Vingt-sept ans, plus ou moins l'âge de ce neveu. Comment allait-il pouvoir prêter attention à chacun ? Écouter chacun, et s'écouter lui-même aussi ? Il n'avait pas la même histoire avec Nicolas, son aîné de deux ans, qu'avec les trois autres, plus jeunes que lui, et qu'il continuait d'appeler « les petits » dans ses monologues. À l'égard de Nicolas, il pensait avoir encore un peu de colère, ou d'amertume, s'il prenait le temps d'y réfléchir, tandis qu'il était pratiquement certain de ne pas en vouloir aux autres, même pas à Ludovic qui l'avait pourtant copieusement insulté à l'époque.

Il se tourne dans son lit, cligne des paupières. La lumière pâle d'octobre entre dans la pièce par l'imposte de la porte sur le jardin. Quelque chose dans cette maison le relie à une part heureuse de son enfance dont il n'a pas gardé le souvenir mais qu'il reconnaît malgré tout. Il l'a souvent dit à Esther, au temps où elle était sa femme, et chaque matin, en ouvrant les yeux, il continue de se le dire.

Plus l'heure approchait, plus il avait été nerveux, il s'en souvient. Il se tenait deux ou trois minutes sur le perron, tendait l'oreille, se haussait sur la pointe des pieds, puis comme tout était silencieux, que la route demeurait déserte, il rentrait dans la cuisine, ouvrait le frigidaire et le refermait, s'immobilisait devant la table où jambon cru, melon et fromages avaient été disposés un peu plus tôt et restait là un moment, méditatif et stupide. C'était une belle journée d'automne, ils allaient pouvoir déjeuner dehors, mais il sortirait les plats au dernier moment. Rien de plus qu'un pique-nique, finalement, il aurait peut-être dû prévoir quelque chose de chaud. Sept cents kilomètres, et à l'arrivée du jambon cru... Ils vont penser que je ne me suis pas foulé, avait-il songé, et il avait regretté de ne pas avoir pris en plus un poulet rôti. Sans compter qu'il n'y avait pas énormément de jambon... À cet instant-là seulement il avait su qu'il leur en voulait. Mais bien sûr ! Sans se le formuler, il s'était empêché de faire plus, de faire mieux. Qu'est-ce qu'ils croyaient ? Qu'ils pouvaient ressurgir comme ça après vingt-sept ans de silence, sur un simple coup de fil, et que lui allait se mettre en quatre pour les recevoir ? Ç'avait été plus fort que lui, il s'était empêché, voilà, et il en avait éprouvé du remords ce matin-là.

Par bonheur, le fromage ne manquerait pas, ni le pain. Et Ludovic devait apporter le vin. Il avait entrepris de compter les tranches de jambon, puis le bruit d'un moteur l'avait interrompu et il avait bondi sur le perron. C'était un tracteur. Il l'avait suivi des yeux un instant et il était encore posté là, sur le perron, ne pensant plus à rien, quand il avait vu glisser sous la haie le long cockpit luisant, couleur vanille, d'une Mercedes. La voiture avait ralenti pour se garer un peu plus haut, derrière le buisson épineux des jujubiers. Ça ne peut pas être eux, avait-il pensé, aucun d'entre nous ne roulerait en Mercedes. Et il n'avait pas bougé, continuant de les guetter.

Il avait entendu claquer les portières sans y prêter attention, et soudain il avait reconnu ses frères. Ils marchaient silencieusement et en ordre dispersé sur la petite route, seul le haut de leurs crânes dépassait de la haie. C'étaient eux mais terriblement vieillis, on aurait dit qu'on les avait saupoudrés de cendre, et cela lui avait provoqué une émotion à laquelle il ne s'attendait pas. Un instant ses yeux s'étaient embués. Ils n'avaient donc pas vu le portail du jardin, en partie caché par les jujubiers, et ils faisaient le tour de la maison. Ils allaient entrer par le champ des oliviers, juste derrière, et Paul était allé aussitôt à leur rencontre.

Jusqu'au dernier jour de sa vie il se rappellerait cette image : ses quatre frères et ce neveu inconnu marchant vers lui entre les oliviers. Le sourire engageant de Ludovic, en tête avec Sylvain, son fils, Nicolas juste derrière, avec sur le visage cette expression de perplexité bienveillante et lumineuse qu'il avait enfant, Maxime en retrait, sur la droite, attentif au point de marquer le pas comme s'il était soucieux de ne rien rater des premiers gestes, des premiers mots, et enfin Basile, tout à fait derrière, sombre et claudiquant légèrement, l'air de se demander si tout cela n'allait pas mal finir.

Le premier que Paul avait embrassé était donc Ludovic – « Salut Paul, ça fait plaisir de te voir. » Puis Sylvain avait répondu à son étreinte, osant dire tout haut des mots d'une tendresse extravagante qui avaient fait rire les autres, et surtout son

père – « Toi, Paul, je voulais beaucoup te
connaître, tu sais, alors aujourd'hui est un très
grand jour dans ma vie que je n'oublierai
jamais... » Tout un petit discours qui avait laissé
Paul interdit et bafouillant. Nicolas, une tête de
plus que lui, l'avait enlacé à son tour en lui
tapotant l'épaule – « Sylvain a raison, c'est un
grand jour pour nous tous », et Paul s'était senti
d'un seul coup revenu à ses dix-huit ans quand il
mettait ses pas dans ceux de Nicolas, lui enviant
cette innocence, cette grâce, qui faisaient que tout
le monde l'aimait au premier regard. Embrasser
Basile, lié à l'événement le plus douloureux de
leur enfance (il ne pouvait pas penser à Basile, prononcer son prénom, sans revoir aussitôt son visage
de bébé fracassé dans la salle de bains) l'avait au
contraire replacé dans sa position d'aîné. Il n'y
avait jamais eu d'enjeu pour lui autour de Basile,
dernier des dix enfants. Paul l'aimait sans réserve.
Comme il aimait Maxime, avant-dernier de la
fratrie. Ces deux-là étaient encore à l'école pri-
maire quand Nicolas et lui s'étaient enfuis de la
famille.

Il les avait priés de le suivre et plutôt que de les
faire entrer par la cuisine, sur le côté, Paul les avait
entraînés vers le jardin, devant. C'est par là qu'ils
auraient dû arriver, poussant le petit portail que
cache le buisson de jujubiers et découvrant la belle
façade exposée au sud, le palmier et tout le reste.
La première fois que Sarah lui avait rendu visite, il
avait bien pris soin de la faire passer par le jardin,

s'attendant à ce qu'elle s'extasie sur ce qui continue de le toucher, lui : l'abondance de la végétation qui a enfoui la maison au fil des décennies de sorte qu'on ne la voit plus de la route, son toit de chalet dont les débords généreux la protègent aussi bien du soleil que de la neige et, dessous, les élégantes fenêtres cintrées Art déco. Comme Sarah s'était tue, il n'avait pas pu s'empêcher de lui décrire ce qu'elle voyait, lui vantant au passage le charme proustien des deux vérandas, l'une au levant, l'autre au couchant, survivance des années trente, comme du reste le banc, signé d'un sculpteur dont il avait promis de lui montrer le buste sur la place du village. Par la suite, constatant qu'il répétait toujours la même chose à ses visiteurs épisodiques, Sarah s'était moquée de lui. Il la revoit l'imitant : « Et le banc est signé de Gustave Machin, si vous voulez je vous montrerai son buste... Je le fais bien, non ? Qu'en penses-tu, mon chéri ? » Il sourit distraitement, glisse une main sous sa nuque. Il est très bien, allongé là à réfléchir, il se lèvera quand il entendra du bruit à l'étage.

Le jardin était baigné de soleil quand ses frères l'avaient découvert. Mais aussitôt leurs regards avaient été attirés par l'enseigne émaillée fixée sur le garage des vélos, au fond, à la gauche du petit portail. C'était une publicité pour les huiles de moteurs *Bardahl* que Paul avait achetée dans une brocante. Il avait ri en entendant Nicolas s'exclamer : « Bardahl ! Bardahl ! Mais où as-tu trouvé ce truc ? Tu te souviens que Toto... » Évidemment

qu'il se souvenait ! Toto au volant de sa 2 CV fourgonnette aux couleurs de la marque avec le drapeau
à damier des courses automobiles prolongeant la
barre du « R » de *Bardahl*. Alors Nicolas avait
pris à partie Basile : « Toi, tu n'étais pas né, ni
l'autre là-bas (désignant Maxime). Vous avez raté
la grande époque, les mecs. » Les deux s'étaient
contentés de sourire et Paul avait eu soudain envie
qu'ils s'en aillent, qu'ils ne soient jamais venus. Il
avait tout écrit sur cette famille et si c'était pour
reparler de Toto, il préférait qu'on le laisse seul,
qu'on lui foute la paix.

Durant un moment, ils avaient erré tous les six
à travers le jardin, sous le soleil de midi, les mains
dans les poches, ne trouvant plus rien à se dire.
Ludovic avait sauvé la situation en interrogeant
Paul sur ses arbres. De l'année de construction de
la maison, 1928, il restait le vieux jujubier qui
essaimait et avait donné naissance au buisson, le
tilleul et les cyprès qui ombrageaient la terrasse,
devant la cuisine, et l'amandier sous lequel ils se
tenaient. Le cerisier était mort deux ans plus tôt
et Paul l'avait remplacé par un abricotier. C'était
également lui qui avait planté l'autre tilleul au
milieu du jardin, et le palmier qui atteindrait bientôt
la hauteur du toit. Ludovic semblait intéressé, il
commentait, souriait, tandis que les autres s'étaient
approchés et les écoutaient.

— Vous avez faim ? J'ai préparé quelque chose.

Ils avaient acquiescé de façon confuse et
l'avaient suivi jusque dans la cuisine.

Qu'est-ce qu'ils pouvaient faire pour l'aider ?
Eh bien finir de dresser la table sur la terrasse,
sortir le beurre, couper le pain, apporter l'eau et
les plats, disposer les serviettes sur les assiettes.
Ça y est, ils sont là, avait pensé Paul, au centre
d'une agitation dont il avait perdu l'habitude, et
maintenant que va-t-il se passer, que va-t-on se
dire ? De nouveau il s'était demandé s'il n'avait
pas eu tort d'accepter de les revoir. Tous s'étaient
mis à l'appeler au milieu du printemps. D'abord
Maxime – « Je ne sais pas si les choses sont rattra-
pables, mais il faut qu'on se parle. » Puis Christine,
leur aînée à tous – « Oh Paul, ça me fait tellement
plaisir d'entendre ta voix ! » Puis Basile – et tiens,
à propos de voix, il se rappelle combien reconnaître celle de Basile, légèrement bégayante, avait
réveillé en lui cette sourde mélancolie qui s'attache
à eux tous. Puis Ludovic, puis Béatrice, et même
Anne-Cécile qui prétendait pourtant avoir tout
oublié de leur enfance et s'était éloignée d'eux
aussitôt mariée. Même Anne-Cécile avait demandé
à le revoir. « Nous vieillissons, Paul, lui avait dit
Nicolas, dans quelques années il sera trop tard. »
Oui, et alors ? avait-il songé, ne plus vous voir ne
m'empêche pas de vous aimer, et c'est reposant de
ne plus avoir à penser à chacun d'entre vous. C'est
reposant. Bon, mais il était trop tard pour revenir
en arrière, l'urgence maintenant était de les faire
asseoir. Il se souvient qu'au moment de s'attabler
devant le jambon cru et le melon, Ludovic avait
lancé joyeusement : « Tout ce que j'aime ! »,

comme s'il voulait en convaincre les autres et leur transmettre son enthousiasme.

Entre-temps, l'un d'entre eux avait dû aller chercher le vin dans la Mercedes, du graves, que Ludovic avait entrepris de servir. Ils avaient rempli leurs assiettes, s'étaient passé le pain, avaient commencé à manger. « Envoie le melon, Maxime ! Celui-ci, il n'a aucune éducation... » – Nicolas, comme Paul l'avait toujours connu avec les « petits », amical et fruste, et comme il l'aimait. Un peu plus tard, c'est Ludovic qui avait remarqué, balayant rapidement du regard ce qui les entourait : « On est bien chez toi, Paul, c'est magnifique ton coin. — Oui, je suis heureux ici. » Alors tous s'étaient mis à lui poser des questions sur sa maison : quand l'avait-il achetée ? comment l'avait-il découverte ? est-ce que ses enfants aimaient y venir ? depuis quand l'habitait-il toute l'année ? En s'efforçant de répondre, Paul s'était rendu compte combien le temps les avait éloignés. Quand ses frères et sœurs s'étaient détournés de lui, il était marié avec Agnès et ils avaient deux enfants encore très jeunes : David et Claire. Ils n'avaient rien partagé de son premier divorce, rien su de ses week-ends seul avec les enfants, ils ne connaissaient ni Esther ni les deux filles qu'ils avaient eues ensemble, Anna et Coline, et ils n'avaient pas partagé non plus son épouvantable naufrage avec Esther ni la longue dépression qui l'avait précédé. Et, bien sûr, ils ignoraient tout de Sarah. La réciproque était vraie, naturellement, si Paul avait conservé en mémoire les visages de leurs femmes, comme eux devaient se souvenir de celui d'Agnès à trente ans, il ne connaissait aucun de leurs enfants.

La conversation avait été agréable, cependant, car ils lui avaient donné l'impression d'être curieux de tout ce qu'ils apprenaient et de le considérer avec sympathie bien qu'il éprouvât le sentiment que sa vie amoureuse, telle qu'il avait dû la résumer, n'avait été qu'un lamentable fiasco. Puis ç'avait été son tour de les interroger et reconnaissant les prénoms de leurs femmes il en avait conclu silencieusement qu'aucun d'entre eux ne s'était séparé. « Mais dites-moi, avait-il demandé à la cantonade, s'efforçant de sourire, est-ce que je suis le seul de la famille à avoir divorcé ? Et deux fois, de surcroît ? » Il était clair qu'ils ne voulaient rien dire qui pût le blesser, mais oui, il était bien le seul.

C'est après cet échange que Maxime avait proposé de prendre une photo d'eux tous sur la terrasse. La photo de la réconciliation, en somme. Il avait installé son appareil en équilibre sur un tabouret, celui-ci posé sur le perron de la cuisine, et après avoir réglé le déclencheur automatique il les avait rejoints autour de la table. Cette photo, Paul l'a fait encadrer et l'a suspendue dans son bureau. Elle exprime étonnamment l'inverse de ce que sa mémoire a retenu de ce déjeuner : il avait eu le sentiment que ses frères étaient affables et

joyeux quand lui luttait secrètement pour faire
bonne figure, or Sylvain et lui sont les seuls à
sourire au milieu de visages tendus et graves.
  Vers quinze heures, comme le soleil parvient
à s'infiltrer en cette saison entre le toit et les
branches du tilleul, chauffant soudain la terrasse,
ils avaient dû déménager pour s'installer devant le
banc, près du palmier, un endroit ombragé à ce
moment de la journée. Ils y avaient transporté la
table, les chaises, et Paul leur avait servi du café
puis du limoncello glacé dans des petits verres.
Alors Sylvain avait repris la parole pour dire
combien il était heureux d'être ici – tout un petit
discours à nouveau, d'une poésie et d'une sincérité
déconcertantes qui avait rappelé à Paul le Rilke
des *Cahiers de Malte*. À la fin, Ludovic avait passé
la main dans les cheveux de son fils en le regardant
comme s'il ne pouvait pas en croire son bonheur,
et tous avaient été complices, approuvant et riant,
avec dans le regard une tendresse qui avait renvoyé
Paul à sa solitude, à son ignorance. Tiens, voilà
une chose que j'ai complètement ratée, s'était-il
dit, et il en avait éprouvé un peu de tristesse.
  Ils avaient encore parlé de choses et d'autres
tout en se reservant de limoncello. À combien
culminait le mont Gardel ? s'était enquis Basile.
Du jardin, on embrassait son puissant sommet tout
proche, coiffé de pierres blanches qu'on pouvait
prendre pour de la neige. Tous s'étaient mis à
le contempler et à en faire l'éloge comme s'ils le

découvraient subitement. Oui, les hivers pouvaient être rudes, avait expliqué Paul, et là-haut il n'était pas rare de rencontrer des vents de deux cents kilomètres à l'heure et des températures de vingt à vingt-cinq degrés au-dessous de zéro.

Comme l'après-midi avançait, Paul avait senti qu'il s'agaçait – se pouvait-il qu'ils envisagent de repartir sans que rien soit dit ? Il avait cessé de les écouter depuis un certain temps quand les mots l'avaient débordé. De façon parfaitement incongrue, au milieu d'une conversation qu'il avait brutalement interrompue, il s'était entendu lancer : « Mais pourquoi êtes-vous revenus, au juste ? J'ai besoin de savoir. » Sans doute l'avait-il pensé tout bas, répété silencieusement à plusieurs reprises, puis la phrase avait été prononcée à voix haute, à sa surprise comme à celle de ses frères.

Il y avait eu un silence et c'est Nicolas qui l'avait rompu le premier :

— On a pris conscience au printemps, grâce à Maxime, grâce au film qu'il a entrepris de tourner et dont il va te parler, enfin... si tu veux bien, que tout ça n'avait plus aucun sens. Comme tu ne pouvais pas monter à Paris, on a décidé de venir. On veut te revoir, Paul, connaître tes enfants, reconstruire ce qui peut l'être, mais il faut que les choses soient claires : si toi tu ne le veux pas, ce que nous pouvons comprendre, on repart tout de suite. Nous ne sommes pas venus jusqu'ici pour t'embêter...

Il avait laissé sa dernière phrase en suspens et fixé Paul avec un pâle sourire, lui donnant l'impression qu'il était prêt à se lever et à s'en aller dans la seconde sur un seul mot de lui.

— Non, avait fini par répondre Paul, ça me fait plaisir de vous revoir.

Tout s'était joué à ce moment-là, sur cette pauvre phrase – « Ça me fait plaisir de vous revoir. » Mais il aurait pu aussi bien dire : « Oui, je préfère que vous repartiez, les premières années j'ai beaucoup souffert de votre absence, mais depuis longtemps vous ne me manquez plus, je me suis habitué à vivre sans vous et je crois qu'il n'y a plus de place pour vous dans ma vie » – car les deux choses étaient également vraies. Il avait éprouvé à les revoir une émotion qui tenait à leur gentillesse, à ce qu'ils réveillaient aussi de tendre et de douloureux dans sa mémoire, mais qu'allait-il faire d'eux après tant d'années sans eux ?

— On a fait une monumentale connerie à ton égard, mais surtout à l'égard de tes enfants, avait repris Maxime. Notre plus grande préoccupation, aujourd'hui, est de sauver ce qui peut l'être entre tes enfants et les nôtres. Il faut leur donner une chance de se connaître et de nouer des liens.

Paul s'était rappelé l'incrédulité de David à six ans, puis son désarroi, quand il avait dû lui expliquer qu'il ne reverrait pas ses cousins « avant quelque temps » parce que ses oncles et tantes étaient en colère contre lui, Paul, pour un livre qu'il venait d'écrire. Puis il avait revu le visage mutique d'Anna, à treize ou quatorze ans, bien plus tard, donc, quand elle avait compris la raison pour laquelle son père avait été exclu de sa famille, et elle avec.

— Mes quatre enfants, avait-il dit, ont grandi dans la conscience de votre hostilité à mon égard pour ce qu'ils me voient faire depuis qu'ils ont ouvert les yeux sur le monde : écrire. Écrire des livres. Ils savent la place qu'occupe l'écriture dans ma vie et ils savent que vous avez voulu m'empêcher d'écrire, de sorte que…

— Non, Paul, l'avait interrompu Ludovic, jamais nous n'avons voulu t'empêcher d'écrire. Tu ne peux pas dire ça.

— Je ne peux pas dire ça ! avait-il bondi. Je ne peux pas dire ça ! Tu veux que je te lise les lettres de cet abruti de Frédéric ?

Et sans attendre la réponse de Ludovic, emporté par la colère, Paul les avait plantés là pour monter chercher les lettres de Frédéric dans son bureau. Frédéric, le cadet de Christine, mais le véritable aîné de la famille, celui qui s'était imposé comme père de substitution quand Toto avait complètement perdu les pédales et frôlé la prison. Frédéric, qui les avait tous convaincus qu'il fallait empêcher Paul de publier son premier texte autobiographique et pour cela lui mettre le marché en main : s'il s'entêtait, si ce livre devait voir le jour, ses enfants et lui seraient à jamais bannis de la famille.

Paul était indigné, il tremblait de colère en redescendant, et c'est en tremblant qu'il s'était mis à lire à haute voix certains passages des lettres de Frédéric. « Mû par un orgueil démesuré ayant aboli toute morale, toi, ta famille, tu l'as vendue pour la pauvre gloire que te renverront les gens de ton monde pour lesquels la recherche de la notoriété constitue la finalité même de la vie... Ni les souffrances que tu as pu endurer ni ton métier ne t'autorisent à disposer de ce passé en éclaboussant l'ensemble de la famille... Pour ma part, je trouve que la publication d'un tel livre est infiniment plus abjecte, immorale, révoltante, que la totalité des comportements que tu prêtes à nos parents... Ton livre est une pure saloperie... Tu agis de sang-froid, délibérément, en pleine possession de tes moyens et sans qu'aucune contrainte puisse expliquer, sinon justifier, cette haine implacable, cette volonté de vengeance et de persécution... Pour cela, tu es un salaud, je te le dis haut et fort..., et cætera, et cætera. »

— Dans les dix-huit mois qui ont suivi la publication de mon livre, avait poursuivi Paul, plus sereinement, j'ai reçu une vingtaine de lettres de Frédéric, dont la plus longue est ici, soixante-cinq pages (il l'avait agitée sous leurs yeux), et dont toutes me répètent que je suis un traître, un lâche et un salaud. Est-ce que pour vous ça ne s'apparente pas à une manœuvre pour m'empêcher d'écrire ?

— Nous ne connaissions pas l'existence de ces lettres, avait remarqué doucement Nicolas, qui ne souriait plus.

— Mais à partir du jour où mon livre a été publié vous ne m'avez plus adressé aucun signe. Ni un mot ni un coup de téléphone. Vous n'avez plus jamais invité mes enfants. Et votre silence a duré vingt-sept ans.

— C'est vrai, avait reconnu Ludovic, c'est absolument exact, mais je te confirme ce que vient de te dire Nicolas : nous ne savions pas que Frédéric t'avait écrit.

— Reste que vous avez été d'accord avec lui pour que mes enfants et moi soyons exclus de la famille en représailles pour le livre que je venais de publier. Vous conviendrez que ce n'était pas pour moi un encouragement à écrire, à continuer d'écrire.

Paul ne parvient pas à se rappeler ce qu'ils avaient répondu. Dans son souvenir, il y avait eu une certaine confusion et une espèce de bavardage général propre à tout embrouiller. Nicolas avait avancé que, contrairement à ce que semblait croire Paul, la famille n'avait pas constitué un bloc uni contre lui, qu'elle avait souffert au cours des années de nombreuses ruptures entre les uns et les autres. Maxime avait abondé, expliquant qu'il n'avait plus vu tel ou telle pendant quelque temps et qu'au moment de la publication du livre il avait eu des soucis personnels sans rapport avec l'exclusion de Paul dont il n'avait pas mesuré la portée sur le moment. Ludovic, lui, s'était tu, il n'était pas revenu sur la question de savoir s'ils avaient voulu, ou non, l'empêcher d'écrire. Et Paul s'était dispensé de lui rappeler qu'il avait reçu de lui au moins deux lettres d'une violence inouïe dans les jours qui avaient précédé la publication de son roman. Ludovic lui écrivait notamment qu'avec son livre, Paul avait rejoint le camp des salauds qui harcelaient et humiliaient leur famille – les créanciers, les banquiers, les huissiers, les juges – et qu'en cela il était « un vendu », « un traître » et « une ordure ». Paul pensait avoir perdu ces lettres, ou les avoir jetées, mais ce n'était pas la raison de son silence, s'il n'avait rien dit, c'était par affection pour Ludovic, par faiblesse aussi, pour ne pas prendre le risque d'un affrontement qui aurait pu se terminer par leur départ.

Là, dans son lit, il peut se figurer la scène : Ludovic se levant soudain sous le regard affolé de son fils : « Tu fais chier, Paul, tu n'es décidément qu'un pauvre con, on n'aurait jamais dû venir. Reste dans ta merde puisque c'est ça qui t'intéresse, continue de jouer au martyr, nous, on se barre, on a suffisamment perdu de temps comme ça. Allez les mecs, on y va ! » Ludovic pouvait piquer de tels coups de sang et aucun n'aurait été de taille à le retenir. Paul pense que Ludovic est un survivant, peut-être celui qui a le plus souffert, il sait le mal que lui a fait Toto, il a vu, il se souvient de tout, et c'est bien pour ça qu'il ne cherchera jamais à l'accabler. Le plus flamboyant et le plus cinglé de la fratrie, pense-t-il. Paul les aurait regardés partir et il sent que le sol se serait dérobé sous ses pieds car ça y était, il avait suffi de cet échange pour qu'ils lui redeviennent proches. Il n'aurait pas pu envisager de les perdre une deuxième fois.

Il ne voulait pas les enfoncer mais il avait repris la parole à propos des insultes de Frédéric. Non, il n'écrivait pas depuis l'âge de vingt ans par souci de gloire et de notoriété, même s'il lui était agréable aujourd'hui d'être reconnu, non, il n'était pas animé par une volonté de persécution à l'égard des siens, et il était faux de prétendre que rien ne l'autorisait à disposer de leur passé commun et qu'aucune contrainte ne le forçait à écrire – ce passé appartenait à chacun d'entre eux et chacun pouvait en disposer librement et à sa façon.

— Si les accusations de Frédéric étaient justes, avait-il ajouté en s'efforçant de garder son calme, je n'aurais pas poursuivi ce lent travail autobiographique à travers la quinzaine de romans qui ont suivi ce premier qui m'a valu tant d'ennuis. Il me semble que mon entêtement à continuer d'écrire, à vouloir comprendre comment se construit une vie, est la meilleure réponse au procès que me fait Frédéric. Dans chaque livre, j'ai investi une année ou plus de ma vie, des nuits sans sommeil, malade d'angoisse à l'idée de me perdre, de ne pas arriver au bout – qui pourrait prétendre après ça que l'écriture n'est pas une nécessité pour moi ? Bien souvent, j'aurais préféré être chauffeur de bus, ou fonctionnaire, et passer des soirées tranquilles avec ma femme et mes enfants. Aujourd'hui, qui oserait réduire ces trente années de travail à une simple recherche de gloire et de notoriété ? Elles apportent la preuve que Frédéric se trompait, qu'il m'a condamné, et vous avec lui, sans rien entendre de ce que j'ai tenté de vous expliquer à l'époque. J'ai organisé ma vie autour de l'écriture de mes livres, je peux dire aujourd'hui que je suis *fait* de mes livres, qu'ils m'ont construit, qu'ils m'ont sauvé. À vingt ans, je ne me voyais aucun avenir, j'étais foutu avant même d'avoir commencé à vivre. Mais tu dois bien t'en souvenir, Nicolas, non ? On n'avait pas un rond, on partageait une chambre de bonne et je passais déjà mes journées à écrire. C'est même toi qui m'as poussé à trouver une place dans un journal en attendant de pouvoir être publié. Il y avait chez toi une forme d'optimisme, de crédulité, que je t'enviais et qui me poussait à t'imiter, à essayer en tout cas. Toi, déjà, tu parvenais à vendre tes photos. Quel homme je serais, aujourd'hui, si j'avais cédé à Frédéric, si j'avais renoncé à la publication de mon premier texte ? Avec le recul, je vois que tous mes livres se font écho, que chacun repose sur le précédent comme les marches d'un escalier reposent l'une sur l'autre, de sorte que je n'aurais sans doute pas pu écrire le deuxième si le premier n'avait pas existé et qu'ainsi je n'aurais probablement rien écrit du tout, passant à côté de ma vie pour aller me perdre je ne sais où. Je ne veux pas tomber dans l'emphase, mais je crois que Frédéric m'aurait tué si je lui avais obéi.

— Tu devais écrire et tu as eu raison de t'entêter, avait tranché Ludovic après un instant de silence. Ce que tu viens de dire est indiscutable.

Alors toute la colère de Paul avait fondu d'un coup. Il avait suffi de cette phrase pour qu'il les regarde différemment et que l'après-midi s'illumine. Ils me veulent bien avec mes livres, avait-il pensé, ça y est, ils m'acceptent tel que je suis, et il s'était senti en retour enfin libre de les aimer, sans la peur qu'ils le rejettent de nouveau pour ce qu'il pourrait écrire. Il avait en mémoire l'épisode du faux retour d'Adèle qui l'avait laissé amer et furieux. Des « petits », Adèle était celle qui avait sans doute le plus souffert de ne plus le voir. Après une quinzaine d'années de silence, elle lui avait téléphoné – « Tu me manques beaucoup, Paul... » Elle lui manquait aussi – au temps d'Agnès, sa première femme, ils s'étaient beaucoup occupés d'Adèle. Ils s'étaient retrouvés au restaurant pour un déjeuner en tête à tête. Puis de nouveau quelques mois plus tard. Mais alors Adèle lui avait demandé ce qu'il écrivait, et tandis qu'il lui parlait du livre en cours, il l'avait entendue s'exclamer doucement, comme atterrée : « Paul, tu ne vas pas recommencer quand même ! » Il avait essayé de lui expliquer combien c'était intéressant de retravailler inlassablement les mêmes événements à la

lumière du temps écoulé et de son propre vieillis-
sement, mais il avait bien vu que c'était peine
perdue et Adèle et lui ne s'étaient pas revus.

— Tu peux écrire tout ce que tu veux, avait ren-
chéri Nicolas comme s'il avait suivi le fil de sa
pensée, sens-toi absolument libre, jamais plus tes
livres ne seront une cause de rupture entre nous.

— On a fait une grosse connerie, avait lancé
Maxime, on ne va sûrement pas recommencer !

Et il avait éclaté de rire, à sa façon, faite de
gloussements très communicatifs, si bien que
Basile et Ludovic l'avaient imité. Pour la première
fois, Paul s'était senti des leurs, comme au temps
où ils pleuraient de rire en se racontant certains
des meilleurs coups tordus de Toto.

— Non mais Paul, avait repris Nicolas par-
dessus les rires, tendant vers lui un de ses longs
bras, ce qui a envenimé l'affaire, aussi, ce sont les
articles de presse. Je ne sais pas si tu te souviens
comment ces abrutis de journalistes parlaient de la
baronne et de Toto...

— Si, ils la traitaient de « mégère », avait dit
Paul, de « harpie ». Pour moi aussi ç'a été un choc.
Et de Toto ils écrivaient que c'était « un raté »,
« un bonimenteur », « un minable petit escroc ». Je
vous imaginais en train de lire ça... Mais ce
n'étaient pas mes mots, qu'est-ce que j'y pouvais ?

— Ce n'étaient pas tes mots, mais c'était la
conséquence de ton livre, mon pote ! Et les parents
étaient encore vivants, et ils se prenaient ça en
pleine tronche.

— T'aurais dû voir la gueule de la baronne, avait confirmé Basile, debout, mimant de la tête un punching-ball sous une pluie de coups de poing et riant nerveusement.

Paul avait encaissé silencieusement. Tous avaient rêvé d'avoir le courage de dire un jour à leur mère ses quatre vérités, le désastre qu'elle avait été pour eux, mais aucun n'avait jamais osé, même pas Christine qui était la seule à l'approcher quand elle hurlait qu'elle allait se foutre par la fenêtre mais finalement courait s'effondrer en sanglots sur son lit. Paul estimait avoir écrit ce que ses frères et sœurs pensaient tout bas, avec d'autres mots que les journaux, certes, mais de fait il n'avait pas été là pour observer l'effet de son livre sur leurs parents. Il n'avait pas été là, bien protégé par son exclusion. Tandis qu'eux avaient vu et ça n'avait pas dû être facile en dépit du ressentiment qu'ils nourrissaient à l'égard de leur mère.

Il entend une porte s'ouvrir à l'étage, puis une deuxième, et il reconnaît les intonations de Claire lorsqu'elle parle à son petit garçon – « Tu es réveillé, mon Juju ? Mais c'est quoi tout ce désordre... », et aussitôt après la petite voix rouillée de Jasmine qui se plaint de quelque chose que lui a fait son frère. Alors Paul saute du lit et s'habille à toute allure. Il ne pense plus à ses frères, il pense à Jasmine qui va sourire en le voyant surgir et lui tendre les bras, à Claire qui compte sur lui pour préparer le petit déjeuner et il se sent excité et fébrile comme un enfant avant d'ouvrir ses cadeaux. Quand Claire est dans la maison avec Jules et Jasmine il est sans cesse déchiré entre son désir d'écrire et celui d'être avec eux, avec Jasmine surtout. S'il est en train de travailler et qu'il l'entend le réclamer de sa voix grave – « Il est où, papou ? », il n'a plus aucune mesure, aucune discipline, il bondit de son bureau et dévale l'escalier. Il n'en revient pas d'aimer cette enfant à ce point et aussi d'être aimé en retour, de ce pouvoir qu'elle a de lui incendier le cœur. Il se revoit disant à Claire, un été, sur la terrasse, qu'elle ne devra pas compter sur lui quand elle aura des enfants – « Mes dernières années, ma chérie, j'entends bien les passer à écrire, ça ne m'intéresse pas d'être grand-père, vous vous débrouillerez sans moi. » Il a conscience que les choses ne se sont pas déroulées comme prévu et qu'un jour il devra prendre le temps d'y réfléchir. Mais sûrement pas maintenant. Il se coiffe à la va-vite, grimpe à l'étage et arrive juste à temps, au moment où tous les trois sortent de la chambre, Jules dans les bras de sa mère et Jasmine pieds nus sur les carreaux de ciment, en chemise de nuit, les cheveux dans les yeux, le pouce dans la bouche et les bras chargés de tous ses doudous.

— Ah ben voilà papou, dit Claire. C'est nous qui t'avons réveillé ? Tu veux bien prendre Jasmine ? Parce qu'avec tout son fouillis dans les escaliers...

Bien sûr qu'il veut bien prendre Jasmine, elle se blottit dans ses bras, pour lui répondre qu'elle a bien dormi elle fait oui de la tête dans son cou sans lâcher ses chiffons et tout en continuant à sucer son pouce. Ils descendent comme ça, Claire devant, lui derrière. Il a ressorti du garage la chaise de Jules qu'il a disposée dans la cuisine, acheté tout ce que Claire lui a demandé d'acheter par SMS, et ainsi ils ont de quoi nourrir les enfants. Elle prépare le biberon de Jules pendant que Paul presse une orange pour Jasmine qu'il a installée devant la table. Il est allé les chercher la veille au soir, au train de vingt heures, et déjà ils se sentent chez eux, il voit ça.

— À quelle heure ils arrivent, tes frères ?

— Vers midi, je pense, comme l'année dernière. Mais tu sais, mes sœurs aussi vont venir. Enfin, peut-être pas toutes.

— Je vais voir Christine ?

— Tu vas voir Christine, oui. Elle devrait descendre avec Adèle et Béatrice.

— Ça me fait un truc quand même ! Adèle, je la connais, je l'ai vue deux ou trois fois avec maman parce qu'elles sont restées copines. Mais Christine…

— Ça te fait quoi ?

— Je ne sais pas, dit Claire en tendant son biberon à son fils. Je ne sais pas, tu en parles toujours comme d'une femme… ouh là là…

— Oui, on ne touche pas à Christine.

— Pourtant, elle non plus elle n'a plus voulu nous voir après ton livre…

— C'est vrai.

Il donne son jus d'orange à Jasmine, dispose les biscuits qu'elle aime sur une assiette, et il s'assoit à côté d'elle.

— Tu nous ferais du café ? dit Claire. J'ai la flemme.

— Bien sûr, ma chérie.

Tout en préparant le café, il est tenté de demander à Claire si sa mère va venir. Il a invité Agnès qui lui a répondu qu'elle n'avait personne à qui confier ses poules, qu'elle verrait, qu'elle n'était pas sûre, puis elle n'a plus donné de nouvelles. Claire et elle se téléphonent une ou deux fois par semaine, elle doit savoir. Mais il n'ose pas le lui demander. Dans le livre qu'il est en train d'écrire il parle d'eux tous, ses enfants, ses petits-enfants, ses frères et sœurs, ses femmes, de la façon dont il les aime ou les a aimés, or depuis quelques jours il s'est replongé dans les lettres et les photos d'Agnès. D'une certaine façon, il est retombé amoureux d'elle, mais comme on peut se réveiller épris d'une femme qu'on vient de revoir en rêve, douloureusement épris, alors qu'on ne pensait plus à elle depuis des années. L'écriture a ce pouvoir, comme le rêve, de ranimer des sentiments qu'on croyait éteints, au point de nous tirer des larmes, parfois, et même de nous pousser à des gestes inconsidérés comme de rappeler telle ou telle personne dans la minute, ou encore de lui écrire une lettre enflammée. Il n'aimerait pas que Claire, volontiers moqueuse, devine son extravagant sursaut d'intérêt pour sa mère et en fasse

une sorte de gimmick, avec la complicité de son frère par exemple. Il n'aimerait pas.
— Du lait dans ton café ?
— Juste une goutte.
— Je te beurre tes tartines aussi ?
— Non, ça va aller, merci papa.

Elle s'est assise en face de Jasmine et à proximité de Juju qui boit son biberon tout seul. Quand Paul pousse vers elle le pain et le beurre, il ne lui échappe pas que Claire étouffe un rire – elle se moque d'elle-même, pense-t-il, de l'envie qui la saisit de redevenir petite, aussitôt qu'elle arrive ici, pour qu'il s'occupe d'elle. Il la revoit à sept ou huit ans, blonde comme le soleil, adorable comme ce matin, assise à la même place, en face de David, Anna dans la chaise de bébé, et Esther, qui était enceinte de Coline, en train de lui beurrer ses tartines – « Ça va, mon petit grain de maïs ? Tu ne m'as pas dit si tu avais bien dormi… »

Il a invité Agnès mais il n'a pas invité Esther. Pas plus que Frédéric. Ça ne fait pas longtemps qu'il associe ces deux noms, Frédéric et Esther. Ces deux-là ne se connaissent pas mais ont en commun d'avoir voulu le tuer, songe-t-il, la chose lui est apparue tandis qu'il écrivait. Pris dans les tourments d'un conflit – la publication de son roman, pour Frédéric, leur divorce, pour Esther –, l'un et l'autre ont en quelque sorte profité de la situation pour laisser s'exprimer des penchants odieux, qu'ils ignoraient posséder, peut-être. Selon Paul, l'acharnement qu'a manifesté Frédéric à le traîner dans la boue, avant et après la publication de son livre, relève d'autre chose que de la seule volonté de protéger leurs parents. Comme l'opiniâtreté qu'a mise Esther à lui maintenir la tête sous l'eau pendant sa dépression, à l'humilier, à le tromper, émane d'une noirceur qu'elle n'avait jamais manifestée quand tout allait bien entre eux et qu'il tenait fermement debout.

— Ça va, papa ? Tu fais une drôle de tête...

— Très bien, ma chérie. Je suis content que vous soyez là.

Il est revenu s'asseoir près de Jasmine et lui caresse la joue pour dissimuler sa confusion.

— C'est de revoir tes frères et sœurs qui t'inquiète ?

— Ah non, ça me fait plaisir au contraire. Et puis je suis content qu'ils vous connaissent.

— J'ai vu Maxime, tu sais ? Il est venu me filmer à la maison.

— Oui, il me l'a dit.

— C'est dingue ce qu'il te ressemble...

— Ah oui ? Et c'était comment votre échange ?

— Ben il veut comprendre ce qui nous a été transmis de vos parents, ce que nous savons de leur vie, l'influence qu'ils ont eue sur nous, des choses comme ça. Mais moi je ne les ai pas connus vos parents, je peux juste parler de toi.

— Je comprends, oui.

— Remarque, c'est vrai qu'en parlant de toi, je parle de tes parents, hein, tu auras quand même passé toute ta vie à écrire sur eux !

Alors elle a ce rire entendu qu'il connaît bien, façon de rappeler, sans les reprendre explicitement, les sarcasmes d'Agnès – « Paul, on dirait qu'il cherche les ennuis, à chaque livre il en remet une couche sur sa famille, il ne faut pas qu'il s'étonne si plus personne ne veut le voir. »

Il n'a jamais oublié la stupeur d'Agnès, allongée sur leur lit, le soir où elle a découvert son premier roman – « Je ne sais pas comment tu peux écrire des trucs pareils… » Il était certain qu'elle aimerait son livre, comme il était certain que ses frères et sœurs l'aimeraient, or la déconvenue d'Agnès, pour ne pas dire sa colère, annonçait celle de ses frères et sœurs. Il s'était complètement trompé. Il les avait tous eus contre lui, et l'hostilité d'Agnès, qui était restée proche d'Adèle et de Frédéric, avait pesé sur l'adolescence de Claire et de David, de sorte qu'en présence de Paul ils se gardaient bien d'évoquer son travail. Devenus adultes, ils avaient transformé cet embarras en une ironie bon enfant. Mais il demeurait une gêne qui faisait que Paul ne leur envoyait pas ses livres et qu'il aurait été incapable de dire s'ils les lisaient, les feuilletaient seulement en librairie, ou les ignoraient.

— Je n'écris pas seulement sur mes parents, mais sur vous tous, reprend-il après un moment en cherchant le regard de Claire. Et ce qui se joue aujourd'hui avec le retour de mes frères et sœurs me pousse de nouveau à écrire. Tu vois, le sujet continue de me passionner.

— Je sais, papa, je sais, dit-elle en se tournant vers Jules pour le débarrasser de son biberon vide et lui essuyer la bouche. Au fait, tu as pensé au liniment ? Hier soir je ne l'ai pas trouvé, je lui ai nettoyé les fesses avec mon lait de toilette...

— Ah bon ? Il a dû tomber d'un sac, il doit être dans la voiture.

Il raconte à Claire que grâce à ses enfants il est redevenu un fin connaisseur des rayons bébés du supermarché qu'il n'avait plus fréquentés depuis Coline. Et comme Jasmine a fini ses biscuits, il lui propose de s'habiller et d'aller avec lui chercher le liniment dans la voiture.

Ce qu'il aime, avec Jasmine, c'est la laisser prendre son temps. Elle sait que sa vieille Peugeot est garée dans le champ des oliviers, à trente mètres derrière le mur qui clôt le jardin, mais elle peut mettre une demi-heure ou plus à y aller parce que des tas de choses l'intéressent et la distraient en chemin. Déjà, elle ne veut pas descendre les marches du perron de la cuisine tant que le scarabée y sera.

— Attends, dit Paul, je vais le remettre sur ses pattes, les scarabées c'est très gentil...

Il le prend et le laisse se promener sur son poignet.

— Ça pique pas les scarabées, dit-elle, sans être tout à fait certaine de ce qu'elle avance.

— Non, c'est très gentil, répète Paul. Viens, on va le remettre dans l'herbe.

Elle donne la main à Paul pour descendre les quatre marches. Mais une fois sur la terrasse, elle part toute seule sous les arbres ramasser une petite pomme de cyprès qu'elle a repérée. Quand elle sait que Paul vient l'attendre à la sortie de l'école, à Paris, ce qui arrive parfois, elle pense toujours à lui choisir un marron dans la cour de récréation qu'elle sort de sa poche dès qu'elle l'aperçoit sur le trottoir. À le voir s'extasier, elle suppose que Paul est très content de son marron, elle ne se doute pas que ce qui le fait fondre, et rire, et l'embrasser, c'est de songer qu'elle a pensé à lui ramasser un marron pendant la récréation, peut-être deux heures plus tôt. De nouveau il rit et l'embrasse quand elle lui tend la pomme de cyprès.

— Je vais la garder toute la vie, dit-il.

Elle acquiesce, elle le sait déjà, Paul promet chaque fois de garder « toute la vie » ce qu'elle lui offre, une fleur, un escargot, un caillou, un bout de verre. Ce qui l'étonnerait, sûrement, c'est qu'il ne le dise pas. Puis elle aperçoit les belles-de-nuit qui poussent sous l'aubépine et Paul voit qu'elle se dandine en se demandant si elle va en arracher une.

— Tu te souviens, à Vienne ? dit-il en s'agenouillant près d'elle.

— Toi, papou, tu voulais pas que je prenne les fleurs.

Et elle guette son rire. Il ne voulait pas qu'elle cueille les géraniums qu'une vieille dame entretenait soigneusement dans un bac, sous sa fenêtre du rez-de-chaussée. Vienne est la ville où ils ont appris à se connaître. Quand Claire a accouché de Juju, Paul est venu passer huit jours dans la capitale autrichienne pour s'occuper de Jasmine. Avec le recul, il estime que ce fut l'un des moments les plus joyeux de sa vie, et on dirait que Jasmine est consciente de cela, car aussitôt qu'il se remémore devant elle une scène de Vienne, il voit que son visage s'éclaire et qu'elle s'attend à ce qu'il se mette à rire. « Et tu m'avais habillée en pyjama pour la crèche, dit-elle en forçant sa voix pour marquer l'énormité de la bêtise. Et aussi on mangeait tout le temps des glaces. » Il ne parvient pas à savoir si elle se souvient vraiment (elle n'avait que deux ans et demi), ou s'il l'a conduite à se construire un récit inépuisable de ces huit jours, épique et inépuisable, à force de regarder en sa compagnie les dizaines de photos qu'il a prises d'elle avec son téléphone et de les commenter. Jamais ils ne se retrouvent sans qu'à un moment ou à un autre elle lui demande son téléphone pour revoir les photos. Elle se regarde marchant toute seule sur les larges trottoirs de Vienne, arrachant les feuilles des plantes vertes qui délimitent l'espace des terrasses de café, sautant les petites marches de seuil des boutiques (de *toutes* les boutiques, si elle en oubliait une, elle revenait en arrière), s'accroupissant devant un chat sous le porche d'un immeuble. C'est à Vienne que Paul a découvert le plaisir de la laisser maîtresse du temps. Ils pouvaient parfois mettre plus de deux heures à rejoindre la crèche qui n'était pourtant qu'à huit cents mètres de chez eux.

Ils sont encore devant les belles-de-nuit quand son téléphone sonne. C'est Anna, son avion avait du retard, elle vient seulement d'atterrir, le temps de récupérer une voiture, elle pense qu'elle sera en retard pour prendre Coline à la gare.

— Ça n'a aucune importance, ma chérie, elle t'attendra, je l'appelle tout de suite. Ne te presse pas, roule tranquillement surtout. D'accord ? Tu me promets ?

Elle a raccroché sans rien promettre, et maintenant il regrette de lui avoir dit de louer une voiture à l'aéroport. À l'origine, il devait aller la chercher et ils devaient ensuite passer ensemble par la gare pour récupérer Coline. Puis Claire avait annoncé qu'elle viendrait sans son mari, trop occupé, et aussitôt il avait changé ses plans pour ne pas laisser Claire toute seule avec ses enfants. Il avait rappelé Anna. « Pas de problèmes, avait-elle dit, je louerai une voiture. — Que je te rembourserai... — Oui, oui, ne t'en fais pas pour ça. » Elle ne s'était plainte de rien, elle lui avait même plutôt donné l'impression d'être contente de se charger seule de Coline, et cependant c'était comme s'il l'avait entendue lui murmurer à l'oreille : « Tu vois, papa, une fois de plus il n'y en a que pour Claire. Qu'est-ce que tu ne ferais pas pour Claire, hein ? » De nouveau il s'était senti injustement accusé – « Si tu savais comme je t'aime Anna, si tu savais...» Bon, mais maintenant prévenir Coline.

— C'était Anna, Jasmine. Tu te souviens d'Anna ? Elle était venue te voir à Vienne.

— La sœur de maman.

Elle se souvient, oui.

— Et maintenant je dois appeler Coline, l'autre sœur de ta maman, la plus petite.

Mais une mouche lui tourne autour et elle ne l'écoute plus.

— Et après, on va se promener, dit Paul, toujours agenouillé près d'elle.

Bon, Coline est bien disposée, elle a regardé la météo avant de partir et vu qu'il faisait beau sur le mont Gardel tandis qu'il tombait des cordes à Paris quand elle a quitté la gare de Lyon, elle s'installera sur un banc au soleil en attendant Anna.

Il regarde l'heure, remet son téléphone dans sa poche.

— Viens, on a le temps d'aller faire un tour de vélo. Avec la ficelle, comme cet été. Tu te rappelles ?

C'est une chose dont il avait vaguement rêvé quand il avait remisé le tricycle de Claire au garage : voir un jour son premier enfant dessus. Et c'est arrivé l'été précédent. Comme tous les chemins sont pentus autour de la maison, il tire Jasmine avec une corde quand ça monte, et il la retient quand ça descend.

Ils s'arrêtent pour manger les raisins oubliés dans les vignes, pour regarder les poules de

Mme Constant dans le petit enclos, sous le pommier, pour cueillir des mûres, pour lancer des cailloux dans le ruisseau, en bas, et en remontant elle chante « Mon âne, mon âne, a bien mal à la tête », en se laissant tirer, sans donner un coup de pédale.

— Tu pourrais pédaler, Jasmine !

— Non, parce que moi je suis fatiguée.

Ils retrouvent Claire et Juju dehors. Lui assis sous le petit lavoir, occupé à remplir son seau de gravier pour aller le répandre sur le gazon. Elle dans un transat, sur la terrasse ombragée.

— On est trop bien, dit-elle. Vous êtes allés loin ?

— Jusqu'au ruisseau.

— Et donc tu n'as pas retrouvé le liniment…

— Oh merde ! J'ai complètement oublié. Tu viens avec moi, Jasmine ?

Mais ça ne l'intéresse plus le liniment, elle a reconnu son seau et sa pelle parmi le bric-à-brac de son frère, elle va plutôt l'aider à recouvrir le gazon de gravier.

— Pauvre papa, dit Claire, qui a saisi le regard navré de Paul, ne t'en fais pas, je t'aiderai à ramasser.

— Laisse, tant pis, on ne va pas leur gâcher un tel plaisir… Tu as remarqué comme les enfants ont le génie du truc qui va bien te pourrir la vie ? Ça ne te rappelle rien ?

— Euh… non.

— Dans la première maison, à Fontenay ? C'est drôle que tu ne t'en souviennes pas. J'avais mis de l'engrais chimique sur le gazon et David et toi vous aviez passé l'après-midi à ramasser soigneusement les petits grains argentés avec vos râteaux et vos seaux pour aller les verser dans le poulailler de la voisine, à travers le grillage.

— Non !

— Si, si, je t'assure. Aucune poule n'a survécu. La dame pleurait, mais Agnès aussi, hein. Ta mère était déjà une grande amie des poules. Elles sont allées ensemble en acheter de nouvelles. Et toi, crétine, ça te fait rire !

— Pauvre maman ! Vous nous aviez punis ?

— Comment veux-tu qu'on vous punisse ? Tu avais trois ans et David six... En plus, ça partait d'un bon sentiment : David pensait que c'étaient les graines qu'aimaient les poules, il adorait regarder la dame leur donner à manger. Piouh, piouh, piouh... et toutes elles accouraient.

Ils restent un moment silencieux à regarder les enfants s'affairer. Paul estime que remettre le gravier à sa place et nettoyer la terre, entre les brins d'herbe, va lui prendre une bonne heure, mais il ne peut pas se résoudre à leur interdire ce jeu. De même qu'il n'a jamais pu protester contre les couches-culottes sales, les crèmes solaires, les brosses à cheveux et les barrettes déposées sur les marbres des cheminées, les baskets et les camions de pompier en travers du passage, les peaux de banane et les restes de gâteau oubliés sous ses bronzes de Max Le Verrier – autant d'offenses à l'élégance de sa maison. Ils ne savent pas comme

je la respecte et prends soin d'elle quand ils ne sont
pas là, songe-t-il, comme j'ai plaisir à parcourir ses
pièces silencieuses le matin dans la lumière pâle
des premiers rayons, me réjouissant de chaque
détail, ils n'ont jamais pu voir sa beauté car à peine
arrivés ils recouvrent tout de leurs objets du quo-
tidien. Oui, mais que pèse la beauté de sa maison
au regard du plaisir distrait qu'ils ont à s'étaler ?
Il en débat secrètement avec lui-même depuis des
années, tantôt se félicitant de sa tolérance, tantôt se
reprochant sa lâcheté. Il se souvient qu'à Neuilly,
quand ils étaient enfants, il leur était interdit d'entrer
au salon. C'était une pièce aux dimensions somp-
tueuses où ils auraient pu monter leur train électrique, faire rouler leurs voitures téléguidées à tout
va et même voler leurs avions – quand ils tour-
naient en rond dans une petite chambre pour trois
au fond de l'appartement. Oui, mais leur mère se
réservait ce vaste salon, qu'elle avait meublé dans
le style Louis XVI que Paul a en horreur, pour
« recevoir » trois ou quatre fois par mois. Dans
ces occasions seulement les enfants étaient admis
à fouler les tapis du salon pour être présentés
aux invités. Puis l'expulsion avait emporté tout
cela l'année des neuf ans de Paul, les meubles
Louis XVI avaient été entassés dans le petit séjour
du HLM où on les avait relogés et, du salon de
Neuilly, ne demeuraient plus que leurs ricanements
fielleux d'adolescents – « Cette conne qui nous
a fait chier avec son salon Louis XVI... » Il a
plaisir à voir ses enfants prendre leurs aises, oui,

c'est certain, mais surtout il n'aimerait pas qu'ils puissent dire après sa mort : « Ce con qui nous a fait chier avec sa maison Art déco... »

Ils entendent une voiture rétrograder dans le dernier virage sur la petite route, et puis deux ou trois coups de klaxon. Ce ne sont pas ses frères, ils ne klaxonneraient pas, et de toute façon il est bien trop tôt pour eux. Il se lève pour aller voir : c'est une grosse fourgonnette tôlée, blanche. Le chauffeur s'est engagé entre les oliviers et vient s'immobiliser contre la Peugeot de Paul. Son fils, David ! Et surgissant par l'autre portière, son petit Franck.

— C'est David et Franck, Claire !

Il contourne le mur pour aller à leur rencontre. Il est touché que David soit venu, il n'y croyait pas trop. David n'aime pas qu'on l'emmerde avec des trucs de famille, des anniversaires essentiellement, il dit : « Ouais, ouais, faut voir... » et deux fois sur trois on ne l'y voit pas, justement.

— Merveilleuse surprise ! dit Paul en leur ouvrant ses bras. Salut mon Francky ! Salut David, merci d'être venu.

— Tu as vu ma nouvelle caisse ? Une ancienne ambulance... Pas mal, non ?

Francky fait monter Paul sur le plateau arrière.

— Le petit figuier, là, c'est pour toi, dit David, resté dehors. L'été dernier, j'ai remarqué qu'il manquait un figuier dans ton jardin.

— C'est vrai. Mais les figuiers ont besoin de beaucoup d'eau, non ?

— Avec l'arrosage automatique il sera content, suffit de bien choisir l'emplacement.

— Parfait alors, je te fais confiance.

Entre-temps, Claire les a rejoints. Paul les regarde s'embrasser. Francky aime beaucoup Claire qui l'invite souvent le week-end et envoie ensuite à Paul des photos de Jasmine avec son grand cousin, l'une quatre ans, l'autre huit, se donnant la main dans une allée du parc Floral.

— Je vous prépare du café ? Ou du chocolat pour Franck ? Et des tartines, aussi ?

— Carrément ! On s'est arrêtés pour la nuit chez des amis mais ils dormaient encore quand on est partis.

Jasmine n'en revient pas de voir surgir Francky. Elle abandonne sa pelle et son seau pour courir à sa rencontre.

— Si t'as envie, lui propose-t-elle, regardant de biais par terre parce que Franck l'intimide, on peut aller au parc Floral tout à l'heure, hein…

Et puis elle hausse les épaules, en attendant de voir ce qu'il va dire. Mais lui aussi est intimidé, tout juste s'il ose sourire.

— Non mais Jasmine, objecte Franck, le parc Floral il est très loin, ici on n'est pas à Paris.

— C'est dingue comment ils sont les petits, dit Claire en riant, ils n'ont aucune notion de l'espace. L'autre jour, elle m'a demandé si on pouvait aller voir Siggy, son copain de la crèche – « Mais Siggy habite Vienne, ma chérie, c'est un très long voyage... » Elle ne peut pas se figurer. Ça me fait de la peine qu'elle puisse croire qu'on la prive de Siggy, simplement comme ça, parce qu'on n'a pas envie de retourner à la crèche de Vienne.

— Ouais, deux rues plus loin, quoi, dit David.

— Voilà, oui.

Ils s'assoient autour de la table de la terrasse, Juju sur les genoux de David qui l'a embarqué au passage comme s'il était un ballot de linge, Jasmine sur ceux de Franck. Paul apporte les tasses, le pain, le beurre, la confiture. Les entendre bavarder sans lui le remplit de fierté, comme s'il était pour quelque chose dans leur conversation d'adultes. Pour un moment, il a l'illusion d'avoir été un père parfait. Pendant que le café passe, il fait fondre des carrés de chocolat noir dans du lait pour Francky – un véritable chocolat qu'il fouettera ensuite pour obtenir de la mousse sur le dessus.

David explique à sa sœur qu'il envisage de s'associer avec l'ami chez lequel ils ont passé la nuit pour acheter ou louer des terres, dans la Creuse par exemple, afin de produire eux-mêmes leurs arbustes.

— Toi, ça va, papa ? s'interrompt-il quand Paul lui sert son café.

Puis comme Claire l'interroge sur un chantier dont il lui avait parlé – un jardin qu'il a conçu sur le toit d'un immeuble, en plein Paris –, ils poursuivent leur conversation et Paul s'assoit légèrement en retrait.

Il n'est pour rien dans l'amour que David porte
aux arbres, dans l'énergie qu'il a déployée pour
créer son entreprise, tout cela est apparu quand
David et lui ne se voyaient plus. Franck aussi est
venu au monde quand ils ne se voyaient plus. Paul
ne connaît Franck que depuis deux ans et il songe
qu'un jour il va l'emmener en voyage, comme il
avait emmené David à peu près au même âge.
En Russie, en plein hiver, peu après la chute
du mur de Berlin. Pour construire une histoire
d'amour et de complicité, croit-il, il faut avoir des
souvenirs en commun. Il l'a bien vu avec Jasmine,
à Vienne. Il s'était imaginé que le voyage en
Russie, dans des conditions très difficiles, allait
améliorer sa relation avec David, mais ça n'avait
pas été vraiment le cas. Tous les deux avaient con-
tinué ensuite à se heurter, comme déçus l'un par
l'autre. Paul aurait sans doute voulu retrouver chez
son fils l'espèce de dévotion aveugle que lui-même
avait pour Toto, or David paraissait plus souvent
agacé par son père qu'admiratif. La dévotion, David
l'avait éprouvée pour l'homme qui avait succédé
à Paul dans le lit d'Agnès, l'architecte de leur
maison. Ce type avait toujours un couteau suisse
dans sa poche, il savait faire des feux de camp et
cuire des côtelettes sur la braise, il roulait en Land
Rover, pratiquait le parachutisme et avait vaincu
le mont Blanc, ou l'Annapurna, il ne sait plus
trop. Grâce à lui, aux récits épiques que David
rapportait de ses week-ends avec cet homme,

Paul avait entrevu le père qu'il aurait dû être pour séduire son fils.

— Ah, au fait, papa, je l'ai acheté, le vélo !

— Celui dont tu m'as envoyé la photo ? Le Vitus ?

— Oui, le type a bien voulu me baisser le prix. Trois cents euros.

Tiens, voilà quand même une chose qu'il a transmise à David – le vélo. Ils ont fait ensemble, l'été dernier, l'ascension du mont Gardel, et sinon ils s'envoient des photos de vélos exceptionnels qu'ils dénichent ici ou là. Et David, que la lecture emmerdait à quinze ans, lui signale maintenant les romans à ne pas rater. La lecture, c'est également Paul, ce n'est pas le parachutiste. « Tu vois, papa, lui a-t-il dit quand ils se sont revus, après six ou sept années de silence, j'ai trouvé dans les arbres ce que tu as trouvé dans l'écriture. » C'est vrai, David est devenu un homme qui ne pense qu'aux arbres, comme lui ne pense qu'à écrire – il les plante, les nourrit, les taille, les soigne s'ils sont malades, veille à ce qu'ils aient leur part de soleil et à ce que personne ne les outrage. Les arbres ordonnent sa vie, pour eux il invente des jardins extraordinaires et s'il constate que ses clients ne comprennent pas la force et la beauté de son travail, il ne transige pas, il peut même se mettre en colère et les insulter. Et cependant, interrogé par un journaliste dans la période où ils ne se voyaient plus, c'est bien le même David qui a dit de son père : « Il passe son temps à écrire au lieu de vivre.

Si seulement ça le rendait heureux, mais non. Il aura traversé la vie comme un somnambule. » Paul l'écoute lui décrire les performances de son Vitus tout en se demandant s'il redirait la même chose aujourd'hui. Comment peut-on exister sans écrire ? songe-t-il. Sans consigner inlassablement le mouvement de la vie ? Écrire est au contraire la plus sûre façon de ne rien rater de la vie, d'en débusquer les ressorts secrets invisibles à l'œil nu, de s'y ancrer (tout en s'encrant les doigts, sourit-il discrètement, songeant à son vieux Waterman qui fuit de partout et sans cesser d'écouter son fils). C'est celui qui n'écrit pas qui chemine en somnambule et qui aura de bonnes raisons de s'inquiéter à la veille de sa mort : « Ah bon, c'est déjà fini ? Quelqu'un pourrait-il m'expliquer ce que je suis venu foutre ici ? » Il est sur le point de demander à David s'il redirait cette phrase qu'il s'est tant de fois répétée, sourdement énervé, mais il ne veut plus avoir à se disputer avec son fils et il renonce.

— Tu as bien fait de l'acheter, dit-il. Si tu en trouves un autre à ce prix-là, préviens-moi, j'adore ces vieux Vitus. Bon, là-dessus, mes chéris, je descends au village chercher le pain, si vous voulez plus de café…

— Oui papa, ne t'en fais pas, je crois qu'on va pouvoir se débrouiller sans toi.

Il entend dans son dos le rire de David et il se sent de nouveau fier et heureux. Tiens, le liniment, la première chose qu'il voit en ouvrant sa portière, sur le tapis de sol, devant le siège du passager. Il aurait bien emmené Jasmine avec lui, mais maintenant que Francky est là… Tout à l'heure, il a vu que Sarah lui a envoyé un SMS, mais il a préféré attendre d'être seul pour le lire. Elle m'écrit qu'elle ne va pas venir, finalement, qu'elle ne se sent pas de place au milieu de mes enfants, de ma famille, j'en suis sûr, je n'ai même pas besoin de lire, et tout en démarrant il en éprouve un accablement furtif. Le village n'est qu'à cinq ou six kilomètres en contrebas, mais jamais il n'y descend sans écouter un peu d'opéra – *La Traviata* qui reprend là où elle s'était interrompue quand il avait coupé le contact, ou *Rigoletto*, ou *Aïda*, et il chante sur la voix de Maria Callas ou de Francesco Albanese, faisant chalouper d'une main sa lourde 605 pour éviter les nids-de-poule tandis que de l'autre il dirige l'orchestre.

Après son divorce d'avec Esther, il avait imaginé rester seul. Pourtant, parti sur les traces de Siegfried Lenz, en Allemagne du Nord, pour écrire prétendument la suite de *La Leçon d'allemand*, il avait rencontré Susanne et avait adoré lui faire l'amour dans cette étrange maison de Møgeltønder qu'on lui avait louée. Elle ressemblait à la sienne, entourée d'herbes hautes, enfouie et secrète, avec dans la cuisine une porte vitrée un peu bancale qui donnait sur le jardin et par laquelle apparaissait Susanne, silencieuse et souriante, généralement au milieu de l'après-midi. Puis son mari avait su et elle n'était plus venue.

Quand Sarah s'était présentée, quelques mois plus tard, il était en train d'écrire le livre de son naufrage avec Esther, découvrant au fil des pages l'origine de la peur qu'elle lui avait inspirée, au point que dans les dernières semaines il partait chaque nuit dormir à l'hôtel. Sarah lui avait donné rendez-vous dans un café pour lui annoncer qu'elle l'aimait, bien qu'ils ne se soient jamais vus. C'était le plus mauvais moment, songe-t-il, tout en conduisant sa Peugeot d'une main, car il était alors redevenu le petit garçon que terrorisait sa mère et il n'avait aucune envie qu'une femme l'approche. Elle s'appelait Sarah Saber et son amour pour Paul avait grandi au gré de la lecture de ses livres. Elle était certaine de ne pas se tromper puisqu'elle connaissait tout de lui, « bien plus, lui avait-elle dit, que ce que je pourrais savoir de vous après vingt ans de vie commune ». Le raisonnement se tenait puisqu'en somme elle avait lu sur sa vie plus de sept mille pages. « Lu et relu », lui avait-elle précisé avec un sourire qui l'avait touché sans le convaincre. Par exemple, lui avait-il rétorqué silencieusement, pour lui-même, le nez dans sa tasse de thé, vous ne savez rien de mes cauchemars en ce moment. Je me réveille en nage, je revois ma mère se cacher sous l'armoire, une nuit, l'année de mes dix ans, dans cet endroit sordide où on nous avait relogés. Pour nous forcer à la chercher, n'est-ce pas, pour que pendant quelques heures nous

tremblions à l'idée qu'elle se soit vraiment sui-
cidée. Et voyez-vous, Sarah, aujourd'hui, à mon
âge, j'ai peur de la femme qui se cache derrière
celle que je regarde et aime. *L'autre*, celle que je
ne vois pas, ne connais pas, mais qui est là
cependant, capable de cela : tromper ma confiance,
se cacher pour me tromper. Cette nuit-là, mon
cœur battait si violemment de savoir ma mère sous
l'armoire, à deux ou trois pas seulement de mon
lit, dans cette position indigne de la confiance que
je plaçais en elle, que j'ai pensé mourir. Comme
je pensais mourir si je ne fuyais pas Esther pour
me réfugier à l'hôtel.

Ils s'étaient revus et promenés ensemble dans
les rues piétonnes. Lui arrivait à ces rendez-vous
défait, sortant chaque fois de ce manuscrit épouvantable, un homme défait suppliant Esther, et
voilà que Sarah le regardait comme s'il était un
dieu vivant. C'était réconfortant, peut-être même
salvateur. Peut-être même que sans Sarah il n'aurait
pas eu la force de terminer son livre. Enfin, il l'avait
invitée chez lui. De la même façon qu'elle n'avait
rien dit dans le jardin en découvrant sa maison et
le palmier, elle avait arpenté les pièces sur ses
talons hauts sans rien commenter de ce qu'elle
voyait. « Vous ne dites rien… — Je suis intimidée.
Cette maison, dans tous vos livres… Je ne pensais
pas qu'un jour… » Il l'avait entraînée dans sa
chambre – « Venez. Vous voulez bien qu'on
se prenne dans les bras, simplement ? » C'est ce
qu'ils avaient fait, sur le lit, sans se déshabiller, et

lui s'était aussitôt endormi. Il n'était plus capable de pénétrer une femme, imaginer seulement la chose lui faisait cogner le cœur.

« Je t'aime, je m'en fiche complètement qu'on ne fasse pas l'amour. » C'est ce qu'elle prétend, mais lui pense que si elle s'efface quand ses enfants apparaissent, si elle n'ose prendre aucune place dans sa maison, c'est parce qu'elle ne se sent pas sa femme. Il se gare devant la boulangerie et sort son téléphone de sa poche. Elle va venir, si, mais seulement en début d'après-midi parce qu'elle a pris trop de retard dans son travail. « Quelle menteuse ! murmure-t-il, quelle menteuse ! », mais il sourit.

Son émotion, au retour, à peine descendu de voiture, en reconnaissant le rire d'Agnès. Il contourne le mur, son fagot de baguettes sur les bras et il voit qu'ils continuent tous de bavarder sans lui prêter attention.

— Je dépose le pain et je viens t'embrasser, Agnès, lance-t-il au passage en couvrant la voix de Francky.

« Mon amour, j'espérais te trouver. Tu me manques. Je t'aime plus que tout. Agnès. » Il avait découvert ce mot sous la porte de la chambre de bonne qu'il occupait avec Nicolas, griffonné sur une page de cahier à spirale pliée en quatre. Aujourd'hui, cette page est posée sur son bureau, parmi des photos d'Agnès qu'il avait faites en Espagne. D'Agnès nue, dans la bergerie que possédaient ses parents. Si par hasard elle monte dans mon bureau et tombe là-dessus, songe-t-il soudain, elle est capable de tout déchirer et de s'en aller.

— Je règle un truc et je viens tout de suite t'embrasser, Agnès, répète-t-il depuis la porte-fenêtre de la cuisine.

Et il grimpe quatre à quatre dans son bureau. Vite, mettre son travail à l'abri. Tout ce qu'elle a appris à détester chez Paul depuis la lecture de son premier roman et qu'il est en train de recommencer – cette façon de revenir inlassablement sur le passé pour en tirer des récits différents au fil des livres comme s'il n'y avait pas de vérité, n'est-ce pas, comme si la vérité n'existait nulle part. « Je t'ai demandé cent fois de ne plus parler de moi dans tes livres, oublie-moi, bon sang ! — Agnès, nos deux vies se sont confondues pendant vingt ans, comment est-ce que je pourrais t'oublier ? Me demander ça, c'est m'interdire d'écrire. — Tu nous emmerdes tous avec tes livres, Paul, est-ce qu'un jour tu vas te décider à l'entendre ? » Voilà, dans un tiroir qu'il ferme à clé.

— Bonjour Agnès ! J'ai eu peur que tu ne viennes pas, ça me fait plaisir...

— Je t'avoue que j'ai hésité, dit-elle, levant vers lui un regard indifférent, et puis Markus a bien voulu s'occuper des bêtes.

Ah voilà, Markus, à force de l'appeler « le parachutiste » il en avait oublié son prénom. Le chignon lui fait un joli port de tête, il se demande s'il peut lui faire un compliment, et puis les mots lui échappent.

— Les cheveux courts t'allaient bien, mais tu es plus jolie comme ça.

— Hou hou, papa ! dit aussitôt Claire en roulant des yeux et en secouant une main comme si elle venait de s'ébouillanter.

— On va peut-être les laisser tous les deux, renchérit David.

— Quels crétins ! s'exclame Agnès en ricanant, évitant d'associer Paul.

— Bon, ça va les adolescents, tranche-t-il. Tu veux un café, Agnès, ou c'est déjà l'heure de l'apéritif pour toi ?

— Un café, s'il te plaît.

Si les choses n'étaient pas comme elles sont, il aimerait passer une nuit avec Agnès avant de mourir, remonter le temps et se retrouver nu dans un lit avec elle, comme ils l'étaient à vingt ans, pleins d'attentes et de désir. Réconciliés aussi. Il aimerait pouvoir le lui demander et qu'elle dise aussitôt : « Oui, bien sûr, moi aussi j'y ai pensé. » Ce serait comme pouvoir fouler le passé, mais vraiment, pas seulement avec les mots de l'écriture. Il en éprouve un léger tournis tandis qu'il regagne la cuisine pour lui préparer son café.

Toutes ses lettres commençaient par « Mon amour ». Jamais personne ne lui avait écrit d'aussi belles choses. Agnès lui avait ouvert les portes d'un monde inconnu, irréel, enchanteur, dans lequel il était une sorte de prince dont les rêves la transportaient. « Oh oui, bien sûr que tu écriras ! Je veillerai toujours à ce que tu puisses écrire, mon amour. » Et ils quitteraient la France pour s'installer en Patagonie où les terres ne coûtaient rien, et dans la grande propriété qu'ils imaginaient elle élèverait des chevaux pendant que lui, dans son bureau...

Tiens, c'est vrai, déjà des chevaux, à vingt ans déjà elle voulait élever des chevaux et il n'avait pas vu venir le divorce, lui qui se fiche des chevaux. Pendant qu'il démarrait dans le journalisme, elle avait obtenu un doctorat en éthologie puis un poste de chercheur. En fait de Patagonie, elle s'était retrouvée enfermée dans un laboratoire pendant que lui passait plus de temps dans les avions que dans son bureau. Ils avaient eu David, puis Claire, et sur la fin, quand il rentrait de voyage, Paul découvrait Agnès en larmes. Alors ils avaient décidé d'échanger leur maison contre une plus grande, en piteux état, comme eux, où tout était à reconstruire. Et c'est le moment qu'avait choisi le Ciel pour leur envoyer le parachutiste. Tout de suite elle avait aimé cet homme des bois avec son couteau suisse qui allumait des feux de camp sur le chantier de leur nouvelle maison pendant que Paul, enfermé dans son bureau, écrivait son premier roman. Aux vacances de Noël, interrompant les travaux, Markus avait invité Agnès à marcher sur les hauts plateaux de l'Aubrac. Il possédait là-bas une maison et des terres à ne savoir qu'en faire. Si ce n'était pas la Patagonie, cela y ressemblait. Au retour, elle avait annoncé à Paul que Markus et elle étaient devenus amants.

Pendant quelques mois elle avait tergiversé, ne sachant lequel des deux choisir, puis le roman de Paul les avait achevés. Elle avait abandonné la recherche et quitté Paris pour élever des chevaux dans l'Aubrac. Des chevaux, puis bientôt tous les animaux de la ferme, dont les poules.

Quand il revient avec son café, elle est justement en train de parler de ses poules. David ne veut pas croire que chacune d'entre elles répond à son nom, et Agnès explique tout ce qu'elle a mis en place pour développer leur affectivité.

— Arrête de rire comme un crétin, dit-elle, riant elle-même, c'est affreux de penser à la façon dont on les traite alors qu'elles sont capables d'une telle sensibilité !

— Non mais, ma'me, je ne me moque pas, reprend David, c'est juste que les poules...

Paul les observe se chamailler. Juju est retourné dans les graviers, sous le lavoir, tandis que Jasmine et Franck sont partis vers le jardin, devant. Claire est concentrée sur son téléphone portable, on devine que le psychisme des poules ne la passionne pas.

Alors il est subitement traversé par le souvenir d'une photo. Mais où peut-elle être ? Peut-être dans le petit album, de la taille d'un portefeuille, qu'il emportait dans tous ses voyages. Il grimpe de nouveau à l'étage, s'engage dans son bureau. Tous les albums sont alignés là, sur la même étagère. Tiens, le voilà ! Sur la première photo, Agnès est parmi des chevaux, elle porte la grosse veste à carreaux de Paul et elle serre David dans ses bras. Il n'a pas beaucoup plus d'un an, il marchait déjà très bien, Paul s'en souvient, mais Agnès ne l'aurait pas laissé circuler entre les pattes des chevaux. Et voilà la photo qu'il cherchait : David au milieu des poules, dans la basse-cour du garde-chasse.

Il redescend aussi vite qu'il est monté.

— Regarde, mon David, il fut un temps où tu adorais courir derrière les poules.

— Mortefontaine ?

— Mortefontaine, oui.

— Je me souviens bien de Rosine.

— La femme du garde-chasse, c'est elle qui te gardait dans la journée. Quand on est partis, elle sanglotait en te serrant dans ses bras. Tu te souviens, Agnès ?

— Elle t'adorait, dit-elle à David.

Agnès ne demande pas à voir le petit album et c'est Claire qui le prend des mains de David quand il a fini d'en tourner les pages.

— Mortefontaine, s'enquiert-elle, c'était avant la petite maison de Fontenay, c'est ça ?

— Avant ta naissance, oui. Toi, tu es née à Fontenay.

— Tu voudras bien me les donner, ces photos ? demande David.

— Je les fais reproduire et je te les envoie.

Alors Paul croise le regard d'Agnès, et il pourrait dire ce qui l'agite, croit-il : « Que tu es chiant avec ton éternelle nostalgie, Paul. Qu'as-tu besoin d'entraîner les enfants là-dedans ? On parlait du présent, et naturellement tu viens plomber la conversation avec le passé. » Agnès se fout du passé, la nostalgie est un sentiment qui lui est étranger, et c'est d'ailleurs pourquoi elle ne couchera jamais plus avec moi, songe-t-il. Quelque temps après leur divorce, alors qu'elle déménageait pour gagner l'Aubrac, elle avait proposé à Paul de passer prendre ce qui l'intéressait parmi tout ce qu'elle s'apprêtait à abandonner sur le trottoir. Il était rentré chez lui avec la correspondance amoureuse des parents d'Agnès pendant la guerre qu'il avait découverte dans un sac-poubelle, ainsi qu'avec un autoportrait de son père peint en 1942, à Bochum, en Allemagne. Le père d'Agnès, évadé, résistant, communiste, avait été un modèle pour Paul.

— David a eu plus de chance que moi, remarque Claire, le nez dans les photos.

— Oui, Mortefontaine c'était un peu le paradis sur terre, la maison était en lisière de la forêt. Mais on travaillait tous les deux à Paris, ma chérie, et à un moment c'est devenu trop compliqué d'habiter si loin. Surtout avec un enfant.

— Peut-être que vous seriez toujours ensemble si vous étiez restés là-bas, dit-elle.

Et levant les yeux, elle regarde son père, puis sa mère. Paul l'a souvent entendu dire qu'elle n'a aucun souvenir de ses parents ensemble. Il jette un regard furtif à Agnès, se demande ce qu'elle va trouver à répondre. Lui est-il arrivé de regretter d'avoir quitté Paul ? A-t-elle été plus heureuse avec Markus qu'avec lui ? Ce sont des questions qu'il s'est souvent posées. Pourquoi se rappelle-t-il à ce moment-là ses promenades avec Claire, au-dessus de Châtel, pendant qu'Agnès partait skier avec Frédéric, le frère aîné de Paul, sa femme et les garçons – David et ses deux cousins ? Ils avaient loué un chalet ensemble, cette année-là à Pâques, et Paul avait préféré rester avec Claire que la faire garder. Elle avait six mois, il la suspendait dans un sac kangourou, l'enfouissait sous son propre anorak et sous trois bonnets, et pendant toute la promenade sur les sentiers enneigés, sous les pins aux branches lourdes de neige, elle dormait contre son ventre. Il aimait ces promenades, murmurer à Claire qu'il l'aimait, puis la démailloter au retour et embrasser ses joues écarlates.

— Ne répondez pas tous en même temps, lâche David avec un ricanement sec.

— Encore un peu de café, Agnès ? propose Paul avec un demi-sourire.

— C'est ça, défilez-vous, bande de nases !

Et comme David rit franchement, cette fois, Agnès esquisse un sourire.

— C'est le genre de conversation qu'adore votre père, mais moi, refaire l'histoire ne m'a jamais intéressée.

— On sait, maman, dit Claire. Figure-toi qu'on avait remarqué. On se demande même pourquoi vous vous êtes mis ensemble tous les deux.

— Parce qu'on s'aimait, réplique Paul.

— Oui... Enfin, toi, papa, tu n'aimes rien de ce qu'aime maman, et maman déteste tes livres, alors on se demande bien...

— Je ne déteste pas ses livres, je trouve simplement...

— Si, maman, tu les détestes. Je t'ai même entendue le dire à Markus.

— C'est vrai que vous n'étiez pas vraiment faits l'un pour l'autre, observe tranquillement David. Vous êtes d'accord, non ?

Leurs regards se croisent. Paul cherche comment dire à ses enfants, en peu de mots, combien Agnès et lui se sont aimés. Impossible de leur lire ne serait-ce qu'une seule lettre d'Agnès. Ils riraient comme des adolescents qu'ils ne sont plus, et Agnès, piquée au vif, lui arracherait la lettre des mains pour en faire une boule qu'elle balancerait à la poubelle. Alors il se dit qu'ils découvriront cette correspondance après leur mort à tous les deux, comprenant combien ils se sont chéris, comme lui a compris combien les parents d'Agnès se sont aimés en lisant leurs lettres. Oui, mais s'ils sont comme Agnès, s'ils les abandonnent sur un trottoir sans les lire..., songe-t-il avec tristesse. Bon, mais pourquoi est-il tellement soucieux que ses enfants sachent qu'Agnès et lui se sont aimés ? Agnès, elle, s'en fiche complètement. Elle ne cherche même pas à cacher l'irritation que lui inspire Paul. Agnès a radicalement tourné le dos au romantisme de ses vingt ans, et il saurait à peu près décrire les étapes de sa révolution. D'abord, il l'avait trompée à plusieurs reprises et avait été assez bête pour le lui dire. Agnès était la première femme qu'il avait vue nue, qu'il avait aimée, et il avait cédé à la tentation d'en déshabiller quelques autres. Alors elle avait repris petit à petit le discours de sa propre mère selon lequel « tous les hommes sont des salauds ». Mortefontaine avait été un moment de grâce durant lequel David était venu au monde. L'arrivée de Claire dans la première maison de Fontenay, et alors que Paul était sans cesse en voyage, avait sans doute renvoyé Agnès à la solitude de sa propre mère quand son mari parcourait le monde et qu'elle restait seule avec leurs deux enfants, un garçon et une fille – tout comme David et Claire. Agnès s'était-elle vue piégée à son tour sans l'avoir voulu ? Peu après la naissance de Claire, Paul avait enfin arrêté le journalisme pour se consacrer complètement à l'écriture. Il était devenu un homme au foyer et avait pris le relais d'Agnès auprès des enfants. Il aimait sa femme, il ne voulait pas la perdre, il voulait qu'elle vive, qu'elle sorte, qu'elle parte skier, lui s'occuperait de Claire – tiens, voilà pourquoi le souvenir de ses promenades avec elle dans la neige lui était revenu un peu plus tôt. Mais c'était trop tard, Markus était apparu avec son couteau suisse et ses récits de voyages et Agnès était montée sans se retourner dans sa Land Rover. Enfin non, c'est faux, avant de se décider à monter elle avait jeté de longs regards douloureux sur ce qu'elle s'apprêtait à perdre, jusqu'à ce jour fatal où, découvrant une énième lettre d'insultes de Frédéric sur la table de la cuisine, toujours à propos du premier roman de Paul, elle lui avait dit : « J'ai de la peine pour toi, Paul, mais tu vois, c'est fini, je ne souffre plus pour toi. C'est comme si tu étais mort en moi. »

Cette phrase de David : « C'est vrai que vous n'étiez pas vraiment faits l'un pour l'autre », il se souvient l'avoir dite à son propre père, certain qu'il serait plus avisé que lui pour le bonheur conjugal. « Ça, mon p'tit vieux, c'est un truc qu'on découvre à l'usage si l'on est fait l'un pour l'autre, lui avait rétorqué Toto. On en reparlera quand tu auras mon âge. » Toto devait avoir la soixantaine à ce moment-là, et Paul à peine la moitié. Eh bien, de fait, à soixante ans, Paul avait divorcé deux fois quand son père était mort auprès de la femme qui l'avait ébloui cinquante-trois ans plus tôt. Mais il n'était plus là pour en « reparler » malheureusement. Et David non plus, parti depuis cinq minutes sans avoir obtenu de réponse à sa question car son fils lui réclamait son vélo enfermé dans le garage.

— Bon, dit Paul, sorti de sa rêverie, moi je vais faire la vaisselle et ranger un peu cette cuisine.

Il a les mains plongées dans l'eau brûlante, occupé à rincer les tasses du petit déjeuner, quand il comprend qu'il se passe quelque chose d'insolite sur la terrasse. Claire s'est levée précipitamment pour répondre à l'appel d'une personne dont on devine la silhouette sur la petite route, à travers la haie. « La maison de Paul Dunoyer ? Oui, dit-elle, c'est ici. Vous pouvez soit entrer par le jardin, un peu plus haut, soit faire le tour. » Et, du bras, elle indique à la visiteuse comment contourner le mur par le champ d'oliviers.

— Papa, tu peux venir s'il te plaît ? Il y a une dame qui te demande.

Il se sèche les mains, s'apprête à descendre les quatre marches du perron, quand il voit surgir Anne-Cécile. Elle est devenue une dame, en effet, et même une dame respectable – il a le souvenir fugace, la découvrant avec sa jupe plissée bleu marine et son col Claudine, serrant son petit sac à main sur son ventre, d'en avoir croisé beaucoup de semblables à la sortie de la messe, quand il était enfant, au temps de Neuilly.

— Anne-Cécile !

— Bonjour, Paul. Je me demandais si tu allais me reconnaître...

— Et puis quoi encore ! s'exclame-t-il en la rejoignant. Ça alors, je ne m'attendais pas... ça me touche beaucoup...

Il est confus, il bafouille. Anne-Cécile est la seule, parmi ses frères et sœurs, qu'il a pris soin de ne pas inviter (si l'on excepte Frédéric, bien entendu, qu'il n'a pas l'intention de revoir). Anne-Cécile est si étrange, si différente d'eux. Elle dit avoir tout oublié de son enfance quand Ludovic, par exemple, qui a deux ans de moins qu'elle, se souvient avoir cherché comment mourir à huit ans pour échapper à la vie qu'on lui offrait. Le jour où elle a appelé Paul pour le revoir, au printemps, dans la foulée des autres et du film de Maxime, il est resté un instant silencieux quand elle lui a demandé à brûle-pourpoint pourquoi il écrivait. « Je pensais qu'après trente années de travail et une vingtaine de livres, la question ne se posait plus, Anne-Cécile. Je veux dire la question de la nécessité pour moi d'écrire. — D'accord, je peux comprendre que ça te fasse du bien, avait-elle repris avec un ton de dame catéchiste qu'il avait ressenti comme sournoisement condescendant, mais alors pourquoi publies-tu ? Tu fais du mal autour de toi et ça te rapporte quoi ? » Pourquoi ne se contente-t-il pas de remplir ses tiroirs de manuscrits, en effet ? Pourquoi ressent-il le besoin de les publier ? C'est une énigme qu'il n'a jamais pu éclaircir. « Je ne sais pas te répondre, Anne-Cécile. Pourquoi les peintres exposent-ils au lieu d'empiler leurs toiles dans une soupente ? Pourquoi les auteurs-compositeurs souhaitent-ils que leurs œuvres soient jouées ? Pour manger, sûrement, et moi aussi j'ai besoin de manger, et il a bien fallu que je nourrisse mes enfants. Mais je ne publie pas seulement pour manger, c'est certain. Écoute, je vais réfléchir à ta question et j'essaierai de te dire un truc un peu plus intelligent la prochaine fois. D'accord ? » Il s'en était sorti en plaisantant, et surtout il avait évité de relever l'allusion au mal qu'il faisait autour de lui pour ne pas se mettre en colère et en venir à insulter sa sœur. Et voilà qu'elle est là, devant lui, alors qu'il ne l'a pas invitée.

— À vrai dire, c'est Christine qui m'a convaincue de venir, dit-elle, cherchant son regard.

— Elle a bien fait. Elle a très bien fait. Tiens, je te présente Claire, avec laquelle tu viens de parler...

— Claire ! Mon Dieu ! La dernière fois que je t'ai vue tu devais avoir sept ou huit mois. Tu ne marchais pas encore...

— Dans la petite maison de Fontenay, oui, en plein chantier, confirme Paul. Je m'en souviens. Tu étais venue avec Pierre nous apporter un lavabo ancien, magnifique d'ailleurs. Vous refaisiez tout à neuf chez vous et vous nous aviez également donné des robinets et tout un tas de vieux machins pour la salle de bains et la cuisine. Ma sœur, Anne-Cécile, ajoute-t-il en se tournant vers Claire.

— Merci papa, j'avais deviné. Bonjour Anne-Cécile.

Pendant qu'elles s'embrassent, Paul se demande où est passée Agnès. Il se sent un peu fébrile, honteux, et le souvenir de la générosité d'Anne-Cécile et de Pierre, son mari, venus tout exprès leur déposer ce lavabo trente ans plus tôt, accroît son embarras. En guise de remerciements, il n'a donc rien trouvé de mieux à faire que de ne pas

inviter Anne-Cécile. Qui a pris la décision coura-
geuse de venir quand même. Et qui maintenant
cherche son regard. Pourquoi a-t-il souhaité l'exclure ? Doit-il essayer de trouver les mots pour le
lui expliquer, au lieu de fuir comme un pauvre
type ? Mais lui expliquer quoi ? Qu'il ne la sent
pas parmi ses frères (qui sont aussi les siens, au
passage...) ? Qu'il n'a pas digéré qu'elle remette
le couvert à propos de ses livres et de son droit à
les publier ? Non, ce qu'il voudrait, c'est lui glisser
qu'il regrette, qu'il a eu tort, qu'elle est la bienvenue chez lui – il déteste que par sa faute Anne-
Cécile se retrouve dans la position humiliante de
l'intruse. « Oublie tout ça, merci d'être venue
quand même, Anne-Cécile, c'est moi qui suis un
con. » Voilà à peu près ce qu'il aimerait lui dire.

Agnès, Agnès, mais où a-t-elle pu aller ? Il
aurait bien besoin d'elle, là, tout de suite... Ah,
partie rejoindre David et les enfants, il entend
Francky l'appeler – « Maminou, maminou... »
Bon, ça aussi c'est agaçant, s'il rêve de coucher
encore une fois avec Agnès c'est bien qu'elle n'a
pas la tête d'une grand-mère, merde !

Alors il entraîne Anne-Cécile vers le jardin.

— Viens, tu vas voir qui est là.

Il y a un moment de flottement quand ils pénètrent dans la pénombre du garage et que les regards
de David, d'Agnès et des enfants se tournent vers
Anne-Cécile avec la même expression de surprise,
l'air de se demander : « Mais c'est qui, celle-ci ?
D'où sort-elle ? »

— Je n'ai pas besoin de te présenter Agnès, dit Paul.

— Bonjour madame, dit Agnès en lui tendant son poignet car elle tient un chiffon plein de graisse.

— Tu ne me reconnais pas ? Anne-Cécile, la sœur de Paul...

Et elle éclate de rire.

Il les revoit dans la petite maison de Fontenay, au milieu des fils électriques et des sacs de plâtre, l'une confiante et souriante dans un imperméable Burberry boutonné jusqu'au col, l'autre dans un tee-shirt décoloré sous lequel on devinait ses petits seins, et Pierre, légèrement en retrait, observant Claire progresser à quatre pattes dans la poussière et se demandant où il pourrait bien déposer son lavabo dans ce capharnaüm. Un an plus tard, les travaux à peine finis, ils achèteraient l'autre maison, la grande, en ruine, et Markus emballerait Agnès en trois feux de camp et une soirée de Noël dans l'Aubrac. Mais dès ce jour-là, notre fin était écrite, songe Paul – Agnès exténuée et tendue, qui n'avait plus envie de rien, et surtout pas de faire l'amour, quand Anne-Cécile et Pierre, déjà parents eux aussi, semblaient parfaitement maîtres de leur destin. Ils voulaient beaucoup d'enfants, qu'ils comptaient élever dans la foi, et Paul se demande combien ils en ont eu finalement.

Puis, soudain, tout le groupe se défait, Francky veut aller pédaler sur la petite route et son père décide de l'y accompagner, Anne-Cécile et Agnès partent en bavardant rejoindre Claire et Juju sur la terrasse et Jasmine demande à Paul à quoi il voudrait jouer. Il n'est même pas onze heures, le repas est prêt, un buffet froid, il n'aura qu'à mettre la table quand tout le monde sera là, alors il propose à Jasmine de retourner faire un tour de tricycle avec la ficelle, mais elle n'a pas envie.

— Moi, je voudrais jouer à cache-cache, dit-elle subitement, et comme illuminée.

— Avec Jules, comme l'été dernier ?

— Non, il est trop petit, il sait pas compter.

Il ne savait pas non plus se cacher. Paul faisait semblant de ne pas le voir, mais Jasmine le trouvait tout de suite. Pour compter, Jules se mettait contre un arbre, les mains sur les yeux, « quatre, six, deux », criait-il, et hop il se retournait, et comme Jasmine n'avait pas eu le temps d'aller se cacher elle prétendait qu'il était un tricheur.

— Moi pas ticheur, disait Jules, qui soupçonnait que c'était une insulte et ne savait pas prononcer les « r ».

— Si, t'es un tricheur, et en plus tu sais même pas compter.

Jasmine, elle, savait parfaitement compter jusqu'à dix, c'est ensuite que ça se gâtait, mais la règle était d'aller seulement jusqu'à dix. Pour arranger les choses, Paul proposait alors de faire équipe avec Jules, mais Jules riait si fort en voyant Jasmine les chercher qu'elle les trouvait tout de suite.

— T'es trop bête, disait-elle, quand on joue à cache-cache il faut pas rire.

Finalement, Paul était le seul à s'amuser.

Mais jouer seulement avec Jasmine est aussi drôle parce qu'elle peut passer trois fois de suite à cinquante centimètres de lui sans le voir. Enfoui dans la haie, il l'observe qui chantonne tout en le cherchant, s'interrompant brusquement parce qu'elle a vu un gendarme sur un brin d'herbe, ou un scarabée – « Les scarabées c'est pas méchant, ça pique pas », l'entend-il dire tout bas tout en faisant non de la tête, mais elle n'en fait pas moins un large détour pour éviter de le croiser. Elle ne trouve Paul que s'il se cache deux fois de suite au même endroit, et alors elle rit de peur et d'excitation en s'approchant parce qu'elle sait qu'il va bondir au moment d'être découvert et la prendre dans ses bras en riant avant de la faire tournoyer et de l'embrasser dans le cou.

Il est caché derrière la porte du garage quand son téléphone sonne, de sorte que Jasmine n'a aucun mal à le trouver.

— Attends ma chérie, dit-il, encore essoufflé de l'avoir soulevée et serrée dans ses bras, il faut que je regarde qui m'a appelé.

Agenouillé près d'elle, il sort le téléphone de sa poche.

— Flûte, c'était Anna, il faut que je la rappelle, viens, tu vas rester une minute avec ta maman et on rejouera ensuite.

Il accompagne Jasmine jusqu'à la terrasse où bavardent les femmes et il rappelle Anna.

— Tout va bien, ma chérie ? Excuse-moi, je n'ai pas pu décrocher à temps...

— Le train de Coline a vingt minutes de retard, du coup c'est moi qui l'attends.

— Ah d'accord. Tu n'es pas trop crevée ? À quelle heure t'es-tu levée ce matin ?

— Quatre heures. L'avion décollait théoriquement à sept et l'aéroport est très loin... Mais ça va, j'ai un peu dormi. En fait, papa, maman vient de m'appeler, c'est pour ça que je voulais te parler. Tu peux m'écouter, là, ou tu as vingt personnes autour de toi ?

— Non, non, ça va, je peux très bien t'écouter. Dis-moi.

Paul s'est mis à trembler imperceptiblement et il a gagné le champ des oliviers pour être tranquille.

— Maman n'est pas très loin et ça lui ferait plaisir de passer nous embrasser, Coline et moi. Mais, bien sûr, si toi ça t'embête elle ne viendra pas.

— Attends, je ne comprends pas, elle n'est pas à Paris ?

— Ben non, justement. Il se trouve qu'elle passe le week-end avec son copain pas très loin de chez toi. Elle a peur que tu penses qu'elle l'a fait exprès, mais c'est vraiment un hasard. Elle m'a bien demandé de te le dire.

— Je ne sais pas quoi te répondre, Anna.

— Si ça te gâche la journée, c'est pas la peine. Je la rappelle tout de suite et on oublie.

Plus de cinq ans qu'il n'a pas revu Esther et qu'il évite le quartier où elle habite quand il va à Paris. Il pense que la croiser seulement pourrait le tuer, tout en sachant que c'est faux, naturellement. Il est plus fort qu'il ne l'imagine, il a bien été capable de refuser de l'embrasser pour lui dire au revoir le jour où elle venait d'exiger, devant leur avocat commun, de toucher la moitié de ses droits d'auteur. Bien été capable d'écrire tout un livre sur elle en plein divorce, alors qu'il ne songeait qu'à mourir. Et là, tout de suite, il s'en veut de trembler.

— Je ne te cache pas que la voir ne me fait aucun plaisir, Anna. Ma seule préoccupation, c'est toi. Toi, bien sûr, tu as envie qu'elle vienne, n'est-ce pas ?

— Je n'ai pas beaucoup d'occasions de revenir en France.

— Je sais, ma chérie, je sais, et là tu le fais spécialement pour mes frères et sœurs que tu ne connais même pas.

— Si tu veux, je peux lui dire de nous attendre dans sa voiture et de ne pas entrer. On ira juste prendre un verre au village avec elle et on reviendra ensuite. Même, à la limite, moi seulement, parce que Coline et elle se voient souvent à Paris.

— Non, je ne veux pas de ça, c'est sinistre. Je n'ai pas envie de voir Esther, mais l'imaginer t'attendant dehors…

— Surtout quand on pense que c'était aussi sa maison, hein.

— Oui, bon, dis-lui qu'elle peut passer.

— Tu es certain, papa ?

— Mais oui, bien sûr ! Et comme ça vous vous verrez tranquillement dans le jardin.

— D'accord. Je la rappelle. Ah, je crois qu'ils annoncent le train de Coline, je te laisse.

Il va jusqu'au bout du champ et emprunte même un peu le chemin qui serpente entre les vignes. Il aurait besoin d'une cigarette, là. Il doit être livide. S'il rentre dans cet état, Claire va tout de suite s'apercevoir qu'il s'est passé quelque chose. « Maman et son copain », « le copain de maman »… Anna et Coline ne mesurent pas la violence que représente pour lui l'évocation de cet homme. La vulgarité aussi du mot « copain » associé à celle qui fut sa femme, sa beauté, le grand amour de sa vie. « Paul, revenez sur terre, l'avait prévenu Curtis après avoir lu le récit de sa rencontre avec Esther, l'éditeur est heureux de publier votre texte mais l'ami vous met en garde : je crains qu'aucune femme ne puisse supporter longtemps d'être sacralisée. Songez que cela peut être lourd à porter. » Il avait fini par savoir qu'Esther le trompait, en effet (pour échapper au culte qu'il lui vouait ?), on le lui avait dit, ou laissé entendre, mais c'était comme s'il n'entendait pas, justement.

À son retour, Jasmine s'est remise à jouer dans le gravier avec Juju, de sorte qu'il peut monter s'enfermer dans son bureau. Il ouvre la lucarne ménagée dans le toit et allume une cigarette. Il pensait bien qu'un jour il devrait la revoir, au mariage d'Anna ou de Coline, par exemple, mais sûrement pas si tôt. Et quand il venait à y songer il espérait vaguement mourir avant que leurs filles se marient. Aimer Esther, récupérer auprès des siens les rares photos qui existaient d'elle à tous les âges et les scruter à la loupe lui avait pris toute son énergie pendant leurs plus belles années. Il avait écrit plusieurs livres pour tenter de percer son mystère et l'ancrer dans sa vie, la retenir, que jamais elle ne puisse s'effacer. « Esther est ma plus belle œuvre », avait-il même écrit quelque part. Ce n'était pas de la prétention, seulement sa façon d'exprimer qu'aimer sa femme occupait tout son temps. Elle en semblait heureuse, secrètement flattée peut-être, contrairement à ce que lui avait dit Curtis, et il n'était pas rare qu'après l'avoir laissé devant son manuscrit, ses photos et ses loupes, pour rejoindre son bureau, elle lui envoie un SMS qu'il recopiait dans un carnet : « Je t'aime, tu es le trésor et la grâce de ma vie », ou encore : « Travaille bien mon chéri, tu m'adoucis le cœur ». Cependant, c'est la même Esther qui avait dit au journaliste qui l'interrogeait sur Paul : « Il m'idéalise, de livre en livre il me réinvente, je ne suis pas la femme qu'il croit, je suis bien plus dure qu'il ne l'imagine, mais ses mots me touchent, bien sûr. » Il avait découvert la part sombre d'Esther quand il avait commencé à céder

à la dépression parce qu'un livre lui résistait, qu'il
ne parvenait plus à écrire. Oh, l'horreur de ce
week-end où elle était prétendument en voyage
d'affaires – « Je ne vais pas rentrer ce soir comme
prévu, Paul, ne m'attends pas. — Ça ne se passe
pas bien ? — Si, très bien, mais j'ai besoin d'être
tranquille. — Bon... — Embrasse les filles. » Et
elle avait raccroché. Il avait eu la vision de la
chambre d'hôtel, du lit défait, de l'homme allongé
près d'elle attendant qu'elle pose le combiné et lui
revienne. Il rallume une cigarette. L'avoir tant
aimée, et trembler à présent comme un enfant à
l'idée de la revoir. Tiens, c'est elle qui le lui disait,
d'ailleurs, ça vient de lui revenir : « Ne fais pas
l'enfant, Paul », quand il se levait subitement, l'interrompant dans sa lecture du soir : « Je ne peux
pas rester là, Esther, je n'y arrive pas, pardonne-
moi... » Il dévalait l'escalier et courait se réfugier
dans une chambre d'hôtel, tout le corps secoué par
les martèlements de son cœur. En quelques mois
seulement il avait dégringolé, rapetissé, perdu
toutes ses forces pour redevenir le petit que terrorisait sa mère, et Esther avait trouvé les mots justes
pour le décrire : « Ne fais pas l'enfant. » Elle avait
cessé de le considérer comme un homme, et il
avait perdu confiance, en elle comme en lui. Pour
la première fois, à l'occasion d'une rencontre dans
un théâtre autour de son dernier roman, il avait
trompé Esther. Une femme l'attendait à la sortie,
une femme qui devait avoir une âme d'infirmière,
au contraire d'Esther, et qui avait bien vu qu'il

tremblait sur la scène. Elle écrivait également, se demandait si Paul accepterait de lire son dernier manuscrit et de la conseiller. Ils avaient un peu parlé sur le trottoir, elle lui avait proposé de le déposer à son hôtel et, finalement, ils avaient passé la nuit ensemble. Il était donc encore capable de faire l'amour. Par la suite, ils avaient correspondu, et il doit même avoir une photo d'elle, quelque part dans un tiroir. Il a brusquement envie de retrouver cette femme, de lui écrire – pourquoi se sont-ils perdus ? Probablement du fait de sa rencontre avec Sarah. Il s'assoit devant son bureau, ouvre un premier tiroir, il est en train de chercher ces lettres anciennes quand on frappe à sa porte.

— Je crois que tes frères arrivent, papa.

La voix de Claire.

— Oh là là, je descends tout de suite ! Mais entre ! Entre !

Elle porte Juju dans ses bras, elle est un peu essoufflée.

— Je préfère que tu sois là pour les accueillir...

— Tu as vu la Mercedes ?

— Une grosse voiture couleur vanille, oui... Ils se sont garés dans le champ.

— OK ma chérie, viens vite, on descend.

Agnès, Jasmine et Anne-Cécile les ont précédés, de sorte qu'il y a un petit attroupement autour de la Mercedes, les quatre portières ouvertes, quand Claire et Paul atteignent le champ. De quoi se souviendra-t-il quand il lui faudra écrire la scène ? C'est à cela qu'il songe. Que Jasmine était déjà dans les bras de Ludovic, qu'elle semblait surprise de le voir rire, de le voir si heureux, ou peut-être simplement de sa ressemblance avec Paul, comment savoir ? Qu'Agnès se haussait sur la pointe des pieds pour embrasser Nicolas – ces deux-là se connaissent depuis l'époque de la chambre de bonne et des mots d'amour d'Agnès glissés sous la porte. Que Basile, Sylvain et Anne-Cécile échangeaient des sourires et des gestes maladroits et tendres. Et puis que, en retrait, Maxime filmait tout cela. Paul croise l'œil noir et luisant de l'objectif tandis que la caméra pivote vers Claire et Jules, puis revient sur lui, avant de les suivre tous les trois jusqu'au lieu des effusions.

— Salut les garçons, dit Paul, et voilà Claire et Jules. Claire, vous l'avez vue toute petite, mais Jules vous ne le connaissez pas…

— Oh bonjour Claire ! s'exclame Ludovic. C'est un moment qu'on espérait depuis longtemps… Je suis heureux de te connaître enfin.

Il embrasse Claire, sans lâcher Jasmine, qui semble maintenant sidérée de découvrir autour d'elle autant de sosies de son grand-père. Il embrasse Jules aussi. Puis Nicolas glisse à Claire un mot gentil qui se perd dans les rires. Alors Basile s'approche, paraissant soudain préoccupé, à l'inverse des deux autres. Durant un instant il cherche ses mots.

— Je ne te demande pas de nous pardonner d'avoir été si cons, dit-il finalement à Claire de sa drôle de voix et avec un peu de solennité, mais à partir d'aujourd'hui nous voudrions que tu saches que tu pourras compter sur nous.

Elle rougit, ne sait que répondre, mais Basile n'a pas terminé.

— On arrive avec trente ans de retard, c'est certain, ça te paraît même peut-être complètement ridicule, mais crois-moi : nous sommes tous désireux de réparer ce qui peut l'être.

— Oui, c'est exactement ça, confirme Nicolas, réparer ce qui peut l'être parce que je crois qu'il n'est jamais trop tard. Pour essayer, au moins, ajoute-t-il, allongeant subitement un bras pour venir effleurer l'épaule de Claire.

— Merci, dit-elle, cachant difficilement son embarras.

— Et moi, intervient soudain Sylvain, je veux te dire, Claire, que ça faisait longtemps que je voulais te connaître et que jamais je ne t'oublierai maintenant que je t'ai vue.

Alors elle semble à la fois interdite et touchée, puis elle vient à lui résolument et le prend contre elle de son bras libre, et tandis qu'elle garde un instant le visage de Sylvain pressé contre le sien il y a une seconde de silence autour d'eux.

— Venez maintenant, dit Paul, on va fêter ça, j'ai mis du champagne au frais.

À cette heure, le tilleul ombrage agréablement la terrasse et c'est une journée sans vent, ce qui est exceptionnel sur les pentes du mont Gardel. Paul a veillé à ce qu'il y ait plus de sièges qu'il n'en faut autour de la table et tous s'assoient dans la confusion des rires, des effleurements et des demi-mots.

— Vous m'attendez une seconde ? lance-t-il à la cantonade. Je vais chercher Franck et David... je ne veux pas ouvrir le champagne sans eux.

Il pense qu'ils doivent être sur la place, autour de la fontaine, car c'est le seul endroit où l'on peut pédaler sur du plat – c'est là qu'Anna, Coline et tous les enfants du coin ont appris à faire du vélo. Ce n'est pas bien loin, mais il est content d'avoir ces quelques minutes pour organiser les choses dans sa tête. Il ne doit pas se laisser distraire de l'essentiel par des émotions qui ne concernent que lui. Il a eu raison de céder à Anna pour Esther, ç'aurait été pitoyable de lui interdire d'entrer, de la laisser patienter sur la route, dans sa voiture. Et maintenant que la décision est prise, à lui de l'assumer. L'accueillir, la présenter à tous les autres sans trembler. « C'est vraiment un hasard. Elle m'a bien demandé de te le dire. » Non, Anna, ce n'est pas un hasard, mais il est préférable que tu le croies. Paul connaît trop bien Esther pour penser une seule seconde qu'elle est venue « par hasard » passer le week-end avec son « copain » à quelques kilomètres du mont Gardel le jour justement où Anna et Coline vont rencontrer pour la première fois ses frères et sœurs. Sa jouissance secrète devant son effondrement – il n'a pas oublié. « Je ne te désire plus, Paul », et le lendemain, comme il s'était de nouveau réfugié à l'hôtel : « Ici, tout me parle de toi. » Lui tendre la main, puis au moment où il va la saisir, la retirer. Le manipuler, l'humilier, le rendre fou. Bon, mais il s'en est sorti vivant, et maintenant, pour Anna et Coline, il va accueillir Esther, oui. De quoi a-t-il peur ? Il n'a jamais tant écrit que depuis leur divorce, a réussi à lui racheter sa part de la maison, voyagé, connu d'autres femmes. Comment a-t-il pu douter de sa force ? C'est le petit en lui qui tremble, mais il saura le contenir, le faire taire. Il sourit parce qu'il vient de les apercevoir : Francky penché sur son guidon comme un coureur, et David rêveur, assis sur la margelle de la fontaine.

— Dis donc, il a fait des progrès depuis cet été !

— Carrément, hein ! Tes frangins sont arrivés ?

— Oui, on vous attend pour ouvrir le champagne.

Paul est certainement le dernier à qui se confierait son fils, si bien qu'il le considère comme un homme pudique et secret. Par exemple, David n'a fait aucun commentaire sur la soudaine réapparition des frères et sœurs de son père. Mais il est venu, avec son fils et son jeune figuier comme cadeau. Venu voir un peu ce qu'ils vont trouver à lui dire après l'avoir banni à l'âge de six ans. Par ma faute, songe Paul.

— Dis-moi, David, ça ne t'embête pas trop toute cette agitation ?

— Je n'aurais pas voulu rater ça. Et puis j'ai peut-être des choses à leur dire à ces enfoirés. (Il rit à sa façon, pour lui.) Faut voir. Toi, en tout cas, ça faisait bien longtemps que je ne t'avais pas vu cette tête.

— Quelle tête ?

— Comment ça, quelle tête ! T'es pas content peut-être ? Tu crois que ça ne se voit pas ?

— Ah si, je suis content !

— Ben moi aussi, alors.

— Merci, c'est mignon de me le dire.

Et Paul sent la main de son fils se poser furtivement sur son épaule.

— David et Franck ! annonce-t-il à la façon d'un aboyeur quand ils arrivent à proximité de la terrasse.

Alors, à part Claire et Agnès, tout le monde se lève et ils sont cinq ou six à sourire puis à émettre des exclamations qui se font plus ou moins écho dans une grande confusion et des embrassades. Et de nouveau Maxime filme la scène, cette fois depuis la plus haute marche du perron.

Puis la rumeur retombe, parce que les uns ne connaissant pas les autres ils ne trouvent plus rien à se dire, de sorte que chacun semble penaud en reprenant place sur un siège, finissant de rire et bredouillant des phrases sans suite. Francky lâche son vélo et se dirige vers la seule personne dont il est certain d'être aimé, Agnès, qui le prend sur ses genoux. David paraît hésiter, puis il attrape une chaise à la volée et vient s'asseoir à côté de sa sœur. Alors Paul constate qu'autour d'Agnès s'est reconstituée sa famille, sa première famille, leurs

deux enfants, David et Claire, et leurs trois petits-
enfants, Franck, Jasmine et Jules (ces deux derniers de nouveau dans le gravier avec leurs pelles
et leurs seaux, juste à la droite de Claire). Comme
si les siens, sans se concerter, préféraient rester
groupés face à l'adversaire d'hier. Lui est tenté
d'aller s'asseoir près d'Agnès, pour rire – « Elle et
moi ensemble, songe-t-il, vingt-sept ans après
qu'ils nous ont tourné le dos » – mais il se faufile
sous la caméra de Maxime pour se préoccuper
plutôt de leur servir à boire.

Quand il réapparaît avec un plateau supportant
une dizaine de coupes et deux bouteilles, plus personne n'est à la même place et les conversations
ont repris de façon éparse. Maxime, qui a cessé
de filmer, s'est immiscé entre Claire et David,
Ludovic les a rejoints, et Claire est en train de leur
parler de son métier de sage-femme. Agnès rit
d'un truc que lui raconte Nicolas, elle est même
prise d'un fou rire, mais Nicolas poursuit tranquillement, le visage vaguement illuminé comme s'il
ne voyait rien de comique dans son histoire. Ah
oui, c'était à l'époque de la chambre de bonne
qu'ils partageaient, un soir Nicolas avait vu une
vieille dame se faire tirer son sac à main, il avait
coursé le type sans parvenir à le rattraper et quand
il était revenu vers la vieille pour s'excuser de ne
pas lui rapporter son sac, elle l'avait frappé à coups
de parapluie, le prenant pour un nouvel agresseur.
Agnès était avec Paul dans la chambre quand
Nicolas était rentré, une oreille en sang, et tous les

deux en avaient pleuré de rire. Elle est contente de réentendre cette vieille anecdote, songe Paul. Elle adore Nicolas parce qu'il ne se rend pas compte comme il peut être drôle, toujours gentil et un peu décalé, si ça se trouve c'est elle qui l'a branché – « Et quand la vieille t'avait tapé avec son parapluie, Nicolas, tu te souviens ?... »

Il les observe tandis qu'il ouvre le champagne et l'idée le traverse que si ses frères avaient été là, Agnès et lui n'auraient peut-être pas divorcé. Ils l'avaient adoptée, elle les aimait tous, jamais elle ne refusait de les retrouver pour un dîner ou un week-end quelque part. Au moment de choisir entre Markus et lui, les perdre aurait compté, et aussi bien ils auraient pu la dissuader de tout foutre en l'air pour une histoire de cul. Au lieu de ça, elle avait quitté un homme seul qui se faisait quotidiennement insulter. Oui, enfin, il avait aussi tout fait pour la décevoir.

— Champagne, Agnès ?

Elle prend une coupe, Nicolas également. Il est tenté de dire à Nicolas qu'il a retrouvé des photos d'Agnès prises par lui au temps de leur chambre de bonne, mais alors il songe qu'Agnès va demander à les voir, et peut-être ne pas vouloir les lui rendre. Aujourd'hui, Nicolas expose partout dans le monde, de photographe il est devenu plasticien, il déconstruit ses anciennes photos pour leur faire dire des secrets qu'elles recelaient sans le montrer mais que lui pressentait. Paul voudrait aussi lui dire que durant trente ans il a marché sur ses traces avec ses loupes, penché sur les photos de tous les siens, mais ce n'est pas le moment. Il va attendre un peu que soit évoqué le flamboyant destin de Nicolas. C'est un incontournable sujet d'hilarité entre les frères car tous se souviennent que le trouvant à peu près idiot, leurs parents voulaient faire de lui un conducteur d'engins – pelle mécanique, bulldozer, rouleau compresseur... Sous l'enfant rêveur, incapable d'apprendre ses tables de multiplication, ils n'avaient pas vu l'artiste.

Il s'aperçoit qu'Anne-Cécile est seule et quand il a servi tout le monde il vient s'asseoir près d'elle.

– Ça va, Anne-Cécile ? La dernière fois, au téléphone, tu ne m'as rien dit de toi, ni de Pierre d'ailleurs. Je ne sais même pas combien vous avez d'enfants...

– Oh là là ! s'exclame-t-elle en riant. Comme me le disait Christine l'autre jour, aujourd'hui nous sommes plus soucieux de nos petits-enfants que de nos enfants... Écoute, ils sont tous mariés et bien partis dans la vie.

– Ah, c'est bien. Et vous habitez toujours votre jolie villa ?

– Non, Pierre a pris sa retraite et on l'a vendue pour quelque chose de plus petit. En fait, on s'est rapprochés du siège d'ATD Quart monde, près de Sarcelles, c'était plus pratique pour lui, et du coup, moi...

— Parce qu'il travaille là-bas, maintenant ?

— Comme bénévole, oui. Mais quand je l'ai connu, il était déjà bénévole pour ATD. Il a rencontré le père Wresinski quand il était étudiant et même quand il dirigeait sa boîte, il continuait à donner de son temps.

— Je ne savais pas.

— Si. Il est même un des rédacteurs du texte sur le droit au logement opposable. Mais Pierre est un modeste, tu sais, jamais il ne te dira quoi que ce soit si tu ne l'interroges pas.

Elle a un rire bref en fixant Paul droit dans les yeux, de sorte qu'il se sent confusément coupable tout en se demandant à quel moment il aurait pu interroger Pierre puisqu'il ne l'a pas vu depuis trois décennies.

— Et tu me disais que toi…, reprend-il, mais je t'ai interrompue.

— Oui, du coup moi aussi je me suis engagée, mais pas au même niveau que Pierre, hein… J'aide comme je peux.

— Tu fais quoi ?

— Tout ce qu'on me demande de faire : rencontrer des familles, remplir pour elles des dossiers, écrire au maire, au député…

— D'accord. C'est courageux !

— Mais ça me fait du bien aussi, tu sais. Je ne supporterais pas de rester à tourner en rond. Faire le bien, c'est aussi *se* faire du bien, comme le dit très justement Pierre.

— Sans doute, acquiesce Paul.

Puis, après un silence :

— Ah, au fait, je crois que j'ai trouvé une réponse à ta question...

Elle semble un instant tomber des nues.

— Pourquoi je publie mes manuscrits... Tu te souviens ? Au lieu de les conserver dans un tiroir... Eh bien parce qu'écrire est ma façon d'exister, la seule qui me satisfasse, je n'en ai pas trouvé d'autre. Si bien que si je ne publiais pas ce que j'écris, ce serait comme me refuser à moi-même le droit d'exister. Me suicider, en quelque sorte.

— Je ne comprends pas. Que tu le veuilles ou non, tu existes, alors autant faire le bien autour de toi plutôt que le mal.

— Pourquoi me redis-tu que je fais le mal, Anne-Cécile ? Déjà, au téléphone... En quoi est-ce que je fais le mal quand j'essaie de nommer les événements et leurs conséquences ? Nous sommes faits de ces événements, au lieu de les balayer sous le tapis, je cherche à les retenir, à les observer à la loupe, à en exprimer toutes les facettes, y compris les plus secrètes, les moins avouables. Sans doute pour ne pas traverser la vie comme un imbécile heureux.

L'image lui est venue spontanément et déjà il regrette de l'avoir formulée. Anne-Cécile ne prétend-elle pas avoir tout oublié de son enfance ? Ne vient-il pas de l'insulter sans le vouloir ?

— Pourquoi « imbécile » ? Tu peux traverser la vie en choisissant d'être heureux, tout simplement, sans pour autant être un imbécile.

— Oui, excuse-moi. Je voulais dire qu'écrire m'apparaît comme la seule façon de supporter la vie, tout simplement. En d'autres termes, que je ne pourrais pas envisager de vivre sans écrire. J'ai essayé quand j'étais journaliste, et certains soirs j'en pleurais. Écrire est une forme de résistance à notre condition, voilà ce que je crois.

— Ne le prends pas mal, Paul, mais je te plains. Nous avons dépassé la soixantaine et tu ne sembles pas encore sorti de l'adolescence. Sous prétexte de régler tes petits problèmes existentiels, tu nous fais du mal à tous, oui, en ridiculisant nos parents dans tes livres et même, je dirais, en ridiculisant la vie dans ce qu'elle a de plus précieux, de plus sacré. La vie est un don du Ciel, avec un « C » majuscule, je le précise même si je sais que tu n'as pas la foi, et toi tu en fais cette pauvre chose, incertaine et chaotique, où nous apparaissons bringuebalés en tous sens et à peine plus dignes de considération que des animaux. Il n'y a aucun enseignement à tirer de tes livres : nous ne savons pas pourquoi nous venons au monde et encore moins pourquoi nous devons mourir.

— Tu les as donc lus ?

— J'en ai lu certains. Tu te souviens de cette religieuse qui nous faisait le catéchisme au temps de Neuilly ?

— Mère Colin, oui, bien sûr.

— Je suis restée proche d'elle jusqu'à sa mort. Elle me racontait que tu étais très croyant, petit. Le plus croyant d'entre nous, peut-être. Et qu'après l'expulsion et la maladie de maman, ç'a été fini. Quand maman a été hospitalisée au couvent et qu'on venait la voir, c'est mère Colin qui nous accueillait, elle aurait voulu t'aider, mais tu ne voulais plus l'écouter, tu la fuyais. Je vais te dire un secret et j'aimerais que tu ne t'en moques pas : elle pensait que trop heureux de te voir douter, Satan t'avait mis sous sa coupe. Elle disait qu'il guette plus particulièrement les âmes pures quand elles flanchent car ce sont de bonnes recrues pour pervertir le monde par la suite. Et toi, Paul, tu étais une âme pure.

— Tu crois donc encore à ces âneries ?

— Ne ris pas, sinon nous ne pourrons pas parler sincèrement. Oui, je crois que la vie a un sens et qu'il dépend de chacun d'entre nous de le découvrir. Enfant, tu marchais vers la lumière, et tu t'es laissé détourner du bon chemin, voilà ce que je crois.

Il se souvient de mère Colin parlant d'un « petit homme gris » qu'elle pouvait croiser dans le métro, ou dans certaines maisons abandonnées de Dieu, et leur expliquant que c'était le diable en personne. Habillé d'un costume gris impeccablement coupé et cheminant ainsi incognito parmi les vivants. Paul était parcouru de frissons d'effroi en écoutant la religieuse.

— Tu te rappelles donc les Noëls au couvent avec les jouets du Secours catholique, Anne-Cécile ?

— Bien sûr.

— Et maman livide comme un spectre qui nous regardait ouvrir nos cadeaux en pleurant ?

— Oui.

— C'est bien, ça me fait plaisir, je croyais que tu avais tout oublié. Des quatre filles, tu es celle qui s'est mariée la plus jeune, et pour moi tu cherchais avant tout à t'enfuir de la maison.

— Tu vois comment tu es, Paul, tu interprètes tout, tu déformes tout. C'est ça que j'appelle faire le mal. J'ai rencontré Pierre, nous nous sommes mariés avec le projet de fonder une famille parce que nous nous aimions, et que retiens-tu d'un événement merveilleux, en tout cas pour Pierre et moi ? Que je me suis enfuie de la maison...

— Ce n'est pas dévaloriser votre amour de penser que tu as aussi voulu fuir la maison. Nous nous sommes tous enfuis d'une façon ou d'une autre, Anne-Cécile, et certains qui étaient trop jeunes pour partir ont failli mourir. Souviens-toi de la maladie d'Adèle, l'année de ses quinze ans.

— Plutôt que de penser à la maladie d'Adèle, je pense, moi, que le Seigneur nous a fait le don de nous garder en vie tous les dix jusqu'à aujourd'hui.

— C'est un fait.

— Non, c'est une grâce extraordinaire ! Mais, toi, tu es si obnubilé par le mal, par l'existence du mal, que tu ne le vois même pas.

Alors Paul croise le regard de Basile. Depuis quand se tient-il là, debout, silencieux, sur le flanc gauche d'Anne-Cécile ?

— Anne-Cécile, commence-t-il, Paul nous a bien fait chier avec ses livres, mais on s'en est expliqué et on a décidé de lui foutre la paix. Donc, je ne vais pas revenir là-dessus. En revanche, je ne comprends pas pourquoi tu ne veux pas entendre ce qu'il te dit ? Je ne comprends pas ce que tu cherches à protéger ? On a tous failli crever dans cette famille, Paul est resté marqué par la maladie d'Adèle parce qu'il a un lien particulier avec Adèle, mais Ludovic a voulu mourir, Nicolas a survécu de justesse à une ostéomyélite, je me souviens de Béatrice au fond du trou et moi j'ai sérieusement pensé à me flinguer à quatorze ans, alors ce n'est pas t'insulter que d'émettre l'hypothèse qu'en te mariant à dix-huit ans tu as *aussi* trouvé un bon moyen de te barrer...

Elle tend le cou vers lui, il a parlé avec calme mais on le sent en colère, et Paul est en train de se dire que la discussion pourrait tourner à l'orage quand deux petits coups de klaxon viennent interrompre Basile. Ludovic est le premier à se lever pour aller jeter un œil par-dessus le mur.

— Vous parliez d'Adèle, eh bien la voilà justement !

Tiens, songe Paul, il écoutait donc notre conversation, et du sourire nerveux de Ludovic à l'instant où il se retourne, il déduit qu'il était sur le point d'intervenir, lui aussi. Mais tout le monde se lève pour aller dans le champ accueillir Adèle, et la tension retombe.

Ce sont les trois filles en réalité, venues ensemble comme prévu, et Christine est encore derrière son volant, tandis qu'Adèle et Béatrice, descendues de voiture, sourient au troupeau désordonné qui marche vers elles.

Adèle est déjà venue voir Paul à deux reprises dans sa maison, de passage à Paris il a dîné avec Christine, mais Béatrice il n'osait pas croire qu'elle viendrait. Il la reconnaît, et il est si touché que ses yeux se noient. Tous évoquent son lien particulier avec Adèle, qui est réel, mais aucun ne semble soupçonner ce qui le lie à Béatrice. Une tendresse confuse, semblable à celle qu'il éprouve pour Basile – il s'est senti en charge d'eux à un moment, alors qu'il était encore lui-même un enfant, et tant d'années après il ressent la nécessité de leur dire qu'il les aime (ce qu'il ne fait pas) comme si, aujourd'hui encore, il avait une part de responsabilité dans leur destinée. Petite, elle avait déjà ce visage-là, songe-t-il, adorable, les traits pleins et harmonieux, la plus jolie des quatre sœurs de son point de vue, et c'est vers elle qu'il se dirige d'abord. Mais on se bouscule, il faut attendre son tour, et comme il voit que Claire et David sont à la traîne, il revient en arrière.

— Venez, je vais vous présenter. Celle qui descend juste c'est Christine.

— Sainte Christine, murmure Claire.

— Adèle, vous la connaissez. Et sur la droite, c'est Béatrice...

— Mais attends, papa, dit David en le retenant par la manche, pourquoi elle a marché dans le truc, Christine, si elle est si bien que ça ?

— Dans quel truc ?

— De ne plus te voir, et nous avec.

— Je ne sais pas. Elle a toujours été très proche de Frédéric.

Il embrasse Béatrice, il s'entend lui dire des mots qu'il n'avait pas préparés, un peu déplacés, qu'elle lui a manqué, qu'il n'a pas cessé de penser à elle durant toutes ces années, en dépit du silence – comme s'il parlait à un de ses enfants qui reviendrait après lui avoir tourné le dos, et puis il lui présente ses deux aînés.

— Mais tu sais que j'ai une photo de toi avec ma fille aînée ! dit-elle à David, le retenant par les épaules après l'avoir embrassé. Vous avez l'un et l'autre six mois et je vous tiens chacun sur un bras. Après ça, nous ne nous sommes plus revus parce que nous sommes partis vivre en province et qu'ensuite il y a eu cette histoire.

— Le livre de mon père, tu veux dire ?

— Oui, voilà. C'est idiot !

David s'apprête à répondre quand Adèle vient les interrompre. Adèle est la seule à avoir manifesté avant tous les autres le désir de revoir Paul et ses enfants, à s'être désolidarisée du groupe, ce qui lui donne une place particulière dans l'esprit de Paul.

— Viens là, toi, que je t'embrasse, dit-elle à David.

Puis, sans le lâcher, elle attrape Claire par le cou de sa main libre et lui colle un baiser.

— Le portrait de sa mère, celle-ci.

— Ah oui, tu trouves ? l'interroge Agnès qui survient à ce moment-là.

— Paul, ce n'est pas le portrait d'Agnès au même âge ?

— Ah, le petit jeu des ressemblances, observe doucement Claire que la scène semble plutôt amuser.

— Non, dit Paul, moi je ne vois pas vraiment...

— Ah si, moi je vois, intervient Nicolas. Je vous signale, les mecs, que je suis le seul ici, à part Paul, à avoir connu Agnès à l'âge de dix-sept ans !

Ça n'a rien à voir avec la question posée, comme souvent avec Nicolas, et du coup tout le monde éclate de rire, Adèle la première.

— Les mecs ! reprend-elle, sans cesser de rire. Et moi je te signale, Nicolas, qu'il n'y a pas que des mecs ici.

— Absolument ! abonde Christine, que Paul n'avait pas vue venir. Bonjour à vous tous, filles et garçons réunis, je suis tellement heureuse qu'on se retrouve enfin !

Et recommence la scène confuse et joyeuse des embrassades.

— À l'exception de Frédéric, remarque soudain Maxime, mais avec un tel décalage dans le temps que Christine elle-même semble, un instant, interloquée.

— Oui, c'est exact et bien dommage, convient-elle. Mais écoute, il faut espérer que lui aussi reviendra sur sa position, non ?

— Ça n'en prend pas le chemin... Il est le seul à ne pas parler dans mon film, il m'a bien baladé pour finalement se défiler.

— Je crois que la situation n'est pas désespérée, estime Nicolas. La dernière fois qu'on s'est vus...

— Laisse tomber, le coupe Ludovic, c'est sans espoir. Le mec, il est accroché à son truc, il ne va plus en bouger.

— Bon, dit Paul, on ne va peut-être pas rester au milieu du champ et en plein soleil à parler de Frédéric pendant que le champagne nous attend au frais.

Et comme tous le suivent en direction de la terrasse, il est subitement inquiet de ne pas voir arriver Coline et Anna. Est-ce normal qu'elles soient encore sur la route ? Il a un peu perdu la notion du temps.

— Tu as l'heure, Adèle ?

— Midi vingt. Tu t'inquiètes pour les petites, c'est ça ?

— Oui, elles ne vont sûrement plus tarder.

C'est finalement Ludovic qui se charge d'ouvrir une nouvelle bouteille car Christine souhaite visiter la maison, et voilà qu'Anne-Cécile et Béatrice leur emboîtent le pas.

Il explique combien il aime les plafonds si hauts, l'arrondi entre les plafonds et les murs, les lustres Art déco, la cheminée en marbre rouge de la grande pièce, les gros tuyaux du chauffage central qu'on ne cachait pas à l'époque, les motifs colorés des carreaux de ciment, différents dans chaque chambre, les portes vitrées qui ouvrent sur les vérandas et le jardin, les impostes des vérandas en verre jaune granuleux. Il montre la salle de bains dont le lavabo est pratiquement identique à celui qu'Anne-Cécile et Pierre leur avaient apporté à Fontenay parce qu'ils refaisaient leur salle de bains et il dit que sa chance a été que cette maison n'ait jamais été habitée par cette catégorie de crétins qui cassent systématiquement ce qui fait l'âme d'un lieu pour refaire tout à neuf, sans être conscient que c'est précisément ce qu'avaient fait Anne-Cécile et Pierre dans leur propre villa, de sorte qu'il vient de les traiter implicitement de crétins. Il est un peu exubérant, comme chaque fois qu'il conduit une visite, tandis que ses trois sœurs l'écoutent silencieusement.

— Mais tu sais ce qu'elle me rappelle, ta maison ? intervient soudain Christine.

— Non, dis-moi.

— L'appartement que nous habitions à Bizerte. Là où tu es né, mon cher Paul.

— Parce que tu y es retournée ?

— Je n'ai pas besoin d'y retourner, je m'en souviens très bien. Ces cheminées, ces carreaux de ciment, nous avions les mêmes à Bizerte. Et le même arrondi au plafond...

Il sait tout cela, c'est Esther qui le lui a fait remarquer lors de leur dernier voyage à Bizerte quand on a bien voulu les laisser entrer dans l'appartement de son enfance – « Mais regarde, Paul, on dirait notre maison, les mêmes portes, les mêmes lustres, les mêmes carreaux au sol... » Il sait, oui, mais il ne l'aurait pas dit car l'enfant en lui n'a aucun souvenir de la Tunisie. Il justifie généralement le bonheur qu'il ressent à vivre dans cette maison par les similitudes qu'elle présente avec celle qu'habitait sa grand-mère, à Bordeaux, rue de Caudéran, et il préfère garder le silence sur cette autre chose mystérieuse qui le touche et qu'il ne sait pas nommer.

— Maman n'aimait pas du tout le style des années trente, reprend Christine. Je l'entends encore disant à papa que notre appartement de Bizerte ressemblait à celui de M. Goldstein, à Bordeaux. Elle prétendait que cela faisait affreusement « parvenu ».

— C'était qui, ce Goldstein ?

— Un homme avec lequel son père était en affaires, je crois, et qui devait incarner pour elle et ses parents le tape-à-l'œil, le mauvais goût. Mais replace-toi dans son temps, Max Le Verrier était son contemporain, pour elle c'était simplement moderne, et donc sans doute un peu clinquant, un peu vulgaire.

— Elle n'aimait que le Louis XVI, que j'ai en horreur !

Christine laisse échapper un rire un peu forcé.

— Là, tu as tort, dit-elle, il faut reconnaître que le Louis XVI...

— De toute façon, l'interrompt Anne-Cécile avec un demi-sourire, Paul déteste par principe tout ce qu'aimait maman.

— C'est vrai. Je suppose que ce qu'elle aimait est associé pour moi à la frayeur qu'elle m'inspirait. Mais toi, Christine, tu ne ressens pas les choses comme moi ?

— Nous en avons parlé la dernière fois, j'ai vécu comme toi dans la peur de notre mère, mais je n'ai jamais éprouvé contre elle cette colère qui traverse tes livres.

Insensiblement, ils sont arrivés dans la chambre à coucher de Paul, là où il s'est vu trembler devant Esther, le dernier été de leur mariage, comme il tremblait devant sa mère. Esther avait-elle deviné qu'un jour, une fois Paul complètement épris d'elle (ce qu'il n'était pas les premiers temps), elle éprouverait une obscure jouissance à l'humilier, à le réduire à rien, juste une ombre suppliante ? Et lui, ne l'avait-il pas choisie en pressentant qu'un jour elle serait cette femme-là ? Il se rappelle sa sidération le soir où Curtis lui a lu calmement un passage du livre qu'il a consacré à sa rencontre avec Esther. Ils dînaient ensemble et Paul, qui dormait alors à l'hôtel, disait son désarroi devant la puissance destructrice d'Esther. « Pourtant vous saviez, Paul, l'avait interrompu Curtis. Vous saviez puisque vous l'écrivez dans ce livre vieux d'une dizaine d'années. Je vais vous lire le passage, si vous voulez. Voici les mots que vous prêtez à Esther : "Ne me dis pas que tu m'aimes, Paul, tu ne me connais pas. Tu es très naïf comme garçon, tu n'as jamais aimé que ton Agnès. Si tu pouvais lire dans mon cœur, tu verrais comme tout est noir dedans. Je fais beaucoup de mal aux hommes qui m'approchent – de trop près, je veux dire. Ne me demande pas pourquoi, je ne le sais pas moi-même, mais c'est comme ça. Je peux être destructrice, tricheuse, perverse. J'ai l'impression que tu ne sais rien de la vie, Paul, que tu ne te rends pas compte du mal que je pourrais te faire." Vous voyez, tout est là, tout est dit.» Il avait demandé à Curtis le numéro de la page où figuraient ces lignes et les avait relues le lendemain. Sa sidération, oui.

Ils se tiennent tous les quatre pensifs et silencieux au milieu de la pièce. Il est tenté de répliquer à Christine qu'il lui a fallu écrire tout un livre, un de plus, après son deuxième divorce, pour comprendre le mal que lui a fait leur mère et que cela peut expliquer sa colère.

— Bon, dit-il finalement, on ne va peut-être pas discuter de tout ça maintenant. On rejoint les autres ?

Il laisse passer devant Anne-Cécile et Christine, et tandis qu'elles s'éloignent il retient Béatrice par le bras.

— Ça va, Béatrice ? Tu ne dis rien.

— Oh moi, tu sais, les maisons ne m'intéressent pas beaucoup. La nôtre est toute simple et c'est Mathieu qui a fabriqué lui-même la plupart de nos meubles.

— Mais toi, pourquoi t'es-tu éloignée comme les autres ? Tout à l'heure, je t'ai entendue dire à David : « C'est idiot ! » Qu'est-ce qui est idiot ?

— Ce gâchis – nos enfants qui ne se connaissent pas, nous qui nous sommes perdus. Tu sais bien qu'on ne rattrape pas ce qui n'a pas été vécu.

— C'est vrai ce que je te disais tout à l'heure, Béatrice, tu m'as beaucoup manqué. Toi et Basile, je vous aime d'une façon particulière, comme si je devais vous protéger, alors que nous avons seulement huit et douze années d'écart.

— Je ne savais pas. J'étais encore petite quand tu es parti de la maison avec Nicolas et on ne se disait pas ce genre de choses. Du jour au lendemain vous n'avez plus été là et on est restés seuls avec maman qui nous hurlait dessus et papa qui faisait à peu près n'importe quoi.

— Avant de publier mon livre, je t'ai envoyé le manuscrit, comme aux autres. Tu ne m'en as rien dit, simplement tu ne m'as plus jamais fait signe.

— Excuse-moi, j'aurais dû t'écrire, mais je n'ai pas pu… Tu ne peux pas savoir comme j'ai eu honte.

Il voit qu'elle presse le bas de son visage entre ses mains et se retient de pleurer.

— Mais honte de quoi ? Je ne comprends pas…
— Que les gens découvrent de quelle famille je sortais. Que mes beaux-parents apprennent tout, que nos amis sachent… Même à Mathieu, j'avais caché l'essentiel.

— Attends, Béatrice, tu as honte de notre famille ? De ce qu'on t'a fait subir, c'est ça ?

— Oh oui, bien sûr que j'ai honte ! Quand je me suis mariée et que peu à peu nous nous sommes fait des amis, j'ai pensé que personne ne saurait jamais. J'étais heureuse, notre nouvelle vie m'éloignait de tout ça. Nous allions élever nos enfants dans l'amour, le partage et la dignité. Et puis j'ai reçu ton manuscrit, je l'ai lu et il m'a fait l'effet d'une damnation, Paul, voilà, c'est exactement le mot, nous étions damnés : tout le monde allait de nouveau rire de moi, de nos parents, j'allais devoir traîner jusqu'à ma mort ces années grotesques, humiliantes – les expulsions, la folie de maman, papa et ses coups foireux, les huissiers, nos vêtements ridicules, les écoles qui nous mettaient à la porte parce que tous les matins nous arrivions en retard. Tout ce que je venais de construire de vivant, de joyeux, allait s'effondrer avec ton livre.

— Jamais je n'aurais imaginé cela, Béatrice, qu'on puisse avoir honte de notre enfance. Ça ne m'a même pas effleuré, tu peux me croire. Je la raconte avec colère, Christine a sûrement raison, mais je n'éprouve pas le moindre sentiment de honte. Et même, d'une certaine façon j'en suis fier, je la revendique comme une guerre déloyale qui nous a été livrée et dont nous avons su nous sortir. Ce sont ceux qui nous ont précipités dans cette merde qui devraient avoir honte, mais pas nous, pas toi. Nous n'avons rien commis d'indigne.

— Je t'envie de pouvoir penser comme ça – c'est à l'opposé de moi. Après ça, je n'ai plus ouvert aucun de tes livres. Juste me souvenir de ces années, quand Adèle est tombée malade et que les médecins ont dit qu'elle allait mourir, je ne peux pas, je ne peux pas, mon Dieu...

Et comme elle se met à pleurer, se cachant à moitié le visage entre ses mains, Paul la prend dans ses bras.

— Je savais qu'elle s'était provoqué cette maladie pour mourir, l'entend-il murmurer un peu plus tard. Tu comprends ? Je savais qu'elle voulait mourir parce qu'elle n'avait trouvé aucun autre moyen pour s'en aller.

— Je suis désolé, Béatrice, je n'avais pas pensé que mon livre pouvait être reçu de cette façon. Je suis désolé, tu m'entends ?

— Mais c'est passé, maintenant, c'est passé... Excuse-moi. Tu n'as pas un kleenex ?

Elle se mouche, se sèche les yeux.

— Ton rimmel a coulé, arrête-toi une seconde dans la salle de bains, si tu veux, et rejoins-nous. D'accord ?

« Ça va aller », ajoute-t-il un peu bêtement en l'embrassant.

La honte de Béatrice qu'il n'avait pas soup-
çonnée, la mort annoncée d'Adèle pour laquelle
Agnès et lui étaient rentrés d'Argentine par le
premier vol possible – tout se bouscule dans sa tête
tandis qu'il regagne la terrasse.
— Ben qu'est-ce que tu as fait de Béatrice ?
Adèle, justement, qui devait guetter leur retour.
— Aux toilettes, elle arrive.
— Tiens, Paul, ton champagne.
Ludovic s'est avancé pour lui tendre un verre.
Ils sont tous debout et ils se parlent par petits
groupes, mais en s'écoutant mutuellement, il voit
ça. C'est une chose nouvelle qu'il a découverte
chez ses frères, une année plus tôt – cette façon
particulière d'écouter que l'on trouve rarement
dans la vie, comme si les mots avaient la même
valeur à l'oral qu'à l'écrit. Nous sommes vieux,
nous allons bientôt mourir et ils le savent, songe-
t-il, alors les mots, comme les minutes, comptent
désormais double. Rien de ce qui est dit dans une
journée comme celle-ci ne sera oublié. Maxime
sourit de ce que lui raconte Claire, et aussi du
regard de Jasmine qu'il tient dans ses bras. David
et Franck s'entretiennent avec Christine et manifestement c'est Francky qui est au centre de la
conversation. Francky qui a huit ans et que Christine
voit pour la première fois. Agnès et Anne-Cécile se
tiennent près du petit lavoir sous lequel Jules
continue de remplir son seau de gravier, tandis
qu'à l'autre bout de la terrasse Nicolas et Sylvain

rient d'une histoire que leur raconte Basile, enfin surtout Nicolas, de ce grand rire qui fait sourire Paul.

Il boit un peu de champagne.

— Dis-moi un truc, Adèle, c'est quoi le nom de cette maladie dont tu as failli mourir ?

— On n'a jamais su. Le professeur Bernard m'avait prise dans son service à Saint-Louis, il a d'abord pensé que c'était une leucémie, je l'ai entendu le dire à papa. On me soignait à la cortisone, tu te souviens ? J'étais devenue énorme...

Elle gonfle ses joues et éclate de rire.

— Un bonhomme Michelin ! Et puis on m'a ramenée à la maison et j'ai entendu maman dire à quelqu'un au téléphone qu'il n'y avait plus d'espoir et j'ai compris que j'allais mourir. Elle appelait toutes ses connes d'amies à Bordeaux pour leur annoncer la nouvelle et elle passait chaque fois une heure au téléphone, trop contente d'occuper le devant de la scène. J'entendais tout depuis mon lit.

— Oui, on l'avait appelée de Buenos Aires avec Agnès. Oh putain, c'était dur !

— Sans cette histoire, vous seriez peut-être toujours en Argentine.

— C'est possible, je ne sais pas. Je me souviens qu'elle m'avait dit qu'il te restait peut-être dix jours à vivre. On avait pleuré, oh là là...

Il l'enlace par les épaules et lui dépose un baiser dans les cheveux.

— Et l'été suivant, j'étais en vacances avec vous en Espagne, dans la maison des parents d'Agnès, bien vivante.

— Je me rappelle, oui, on allait se baigner dans les criques à Llançà et on te donnait la main parce que si tu tombais tu risquais de te casser comme du verre.

En baissant les yeux, il voit l'heure au poignet d'Adèle. Treize heures passées. Merde, Anna et Coline devraient être là.

— Tu m'accompagnes sur la petite route ? Je vais voir si mes filles arrivent et j'ai envie de fumer une cigarette.

De l'autre côté du village, la route fait un coude avant de descendre dans la combe et il y a là une sorte de promontoire d'où l'on peut suivre les voitures qui grimpent de la ville en contrebas.

— C'est bien que tu aies invité Agnès, dit-elle, comme ils traversent le village. Vos rapports se sont apaisés ?

— Épuisés, plutôt. Elle est venue à contrecœur, pour les enfants, et parce qu'elle sait que mes frères l'aiment bien. Tu ne vois pas comme elle me regarde ?

— Non.

— Elle me hait, je crois. Quand Esther m'a quitté, elle est allée dire partout : « Ah ça, il l'a bien cherché avec ses livres. Il finira seul et ça lui fera les pieds ! » C'est très con, hein, mais je l'aime encore. Enfin, je ne sais pas si c'est de l'amour, plutôt de la tendresse, ou des regrets.

— Elle ne te hait pas, tu exagères.

— J'aurais voulu vieillir avec elle, en fait. Quand je la vois aujourd'hui, je me dis que j'aimerais être son mari. Je la regarde et elle me touche. C'est incroyable, non, après le mal qu'elle m'a fait avec son Markus ? Remarque, moi aussi je lui ai fait du mal, elle avait sûrement envie de me le faire payer. On habitait encore sous le même toit et elle passait ses après-midi à l'hôtel avec cet abruti. Tu imagines un peu ? Je ne sais pas comment j'ai pu supporter ça sans me flinguer... Mais vous êtes restées proches toutes les deux ?

— Ah oui, on déjeune ensemble chaque fois qu'elle vient à Paris.

— Et je sais qu'elle voit Frédéric aussi... Comment peut-elle être amie avec Frédéric alors que c'est lui qui vous a tous coupés de nos enfants ? « Si tu publies ton livre, on ne verra plus tes enfants. » Ce sale con ! Et Agnès, ça ne la dérange pas, elle dîne avec lui... Tiens, viens, on va s'asseoir là.

Il allume une cigarette.

— On voit les voitures venir de très loin, dit-il. Bon, en même temps, je ne sais pas ce qu'elles ont comme bagnole. Une petite, sûrement... Je n'imagine pas Anna louant une BMW turbo.

— Je suis émue de rencontrer tes filles... Je n'ai qu'un vague souvenir d'Anna, à treize ou quatorze ans. Elle avait contacté ma fille sur Facebook, tu te souviens de ça ? Du coup, je l'avais embarquée à une réunion de famille.

— Anna est la seule de mes quatre enfants à vous avoir constamment cherchés. Je l'ai compris incidemment parce qu'elle est très secrète, elle ne me l'aurait pas dit. Je me rappelle qu'elle était triste en rentrant de cette journée avec toi. Quelque temps plus tard, elle m'a raconté que Frédéric était venu lui demander qui elle était et qu'il s'était détourné sans un mot quand elle s'était présentée comme « la fille de Paul ». Je ne crois pas qu'il ait fait ça, je ne peux pas le croire, je pense que ne se sentant pas accueillie, elle a mal interprété une simple maladresse.

— Je ne savais pas, à moi elle ne m'a rien dit. C'est tellement méchant, si c'est vrai... Mais c'était une époque où on était encore en pleine confusion. On t'en voulait, on te condamnait, et tes enfants avec toi alors qu'ils n'y sont pour rien, évidemment.

— Quand je me suis installé à Bordeaux pour écrire le roman sur maman, je me suis aperçu que vous aviez réagi comme ses cousins et ses oncles et tantes. Après l'expulsion, ils se sont tous détournés d'elle, tu sais, parce qu'ils considéraient qu'elle les déshonorait en tombant dans la misère, qu'elle salissait leur nom d'une certaine façon. Ils étaient fortunés, mais aucun n'a voulu l'aider. Ils m'ont dit que papa était venu frapper chez eux pour leur emprunter de l'argent et qu'ils l'avaient éconduit. Du coup, ils nous ont condamnés avec maman, nous les dix enfants, sans prendre conscience que nous n'étions pour rien dans cet effondrement. Mais nous avons grandi, nous sommes devenus adultes, et quand je suis venu leur demander des comptes dans leurs somptueux hôtels particuliers, j'ai vu combien ils étaient embarrassés. Qu'est-ce que ça leur aurait coûté de nous faire rétablir l'électricité, par exemple ? Au lieu de quoi, nous avons vécu deux années à la bougie. J'ai fait le tour de tous ces vieillards richissimes et j'ai compris qu'ils me considéraient pour la première fois et que ma soudaine existence les troublait. Jusqu'ici, nous n'avions pas compté pour eux. Et subitement j'étais là, et j'allais faire d'eux des personnages de mon roman. Eh bien, tu vois, j'ai l'impression que pour vous mes enfants n'ont pas compté non plus, votre colère contre moi vous a aveuglés, jusqu'à aujourd'hui où tous les quatre vont être présents.

— Nous avons fait une énorme bêtise à leur égard et nous le regrettons tous, Paul. Enfin, à part Frédéric peut-être.

— Je sais… Tiens, regarde, la voiture blanche, elle prend la route du village.

Paul a déjà bondi pour se placer sur le bas-côté au cas où ce serait ses filles. Et ce sont elles !

Coline qui surgit la première, la voiture à peine arrêtée.

— Mon papa ! C'est trop bien d'être ici ! Tu nous attendais ? Tu t'inquiétais ?

— J'avais hâte de vous voir.

Ils s'embrassent.

— Tiens, ma Coline, je te présente ma petite sœur, Adèle.

— Ah oui, vous vous ressemblez beaucoup ! dit-elle, le visage illuminé.

Et tandis qu'Adèle l'enlace – « Bonjour Coline, je suis tellement heureuse de te rencontrer ! » –, Anna s'approche prudemment parce qu'elle a vu Adèle.

— Bonjour ma chérie jolie. Tu reconnais Adèle ?

Elle n'est pas certaine, plus de dix années se sont écoulées depuis cette malheureuse fête de famille.

— Moi, je te reconnais, dit Adèle en prenant doucement son visage entre ses mains. Bonjour, Anna, quel bonheur de te revoir !

Coline a un teint de blonde, les yeux bleus, le visage plein, tandis qu'Anna est brune, longue, le regard sombre, les traits tendus. Enfant, Anna avait l'air d'une petite Chinoise, et déjà elle observait le monde avec réserve, l'air de se demander où était sa place. Paul éprouvait sans cesse le désir de la prendre dans ses bras pour lui murmurer qu'il l'aimait, la rassurer, la protéger. Coline, arrivée près de trois années après elle, avait semblé, à l'inverse, être aussitôt à l'aise parmi les vivants, avec une curiosité particulière pour les animaux.

— Vous en avez mis du temps, je commençais à m'inquiéter, observe Paul en pressant Anna contre lui.

— Coline a voulu qu'on s'arrête prendre un café. Pour « parler », ajoute-t-elle avec un sourire de biais en regardant sa sœur.

— Ben oui, on ne s'est pas vues depuis trois mois, quand est-ce qu'on se serait parlé, sinon, avec tout le monde dans la maison ? Et en plus, tu reprends l'avion ce soir…

— Non, mais ne t'énerve pas, j'expliquais juste à papa.

— Je sais bien ce que tu penses, reprend Coline, mais moi, figure-toi, ça m'intéresse de connaître ta vie.

Et se tournant vers Paul :

— Ils sont arrivés, tes frères et sœurs ?

— Tout le monde est arrivé, on n'attendait plus que vous. On y va ? Tu nous prends dans ta voiture, Anna ?

Paul serait capable de dire la façon dont il aime chacun de ses quatre enfants, ce qui le touche en chacun, mais pourquoi Anna le précipite-t-elle dans une telle émotion ? Quand il a entendu qu'elle reprenait l'avion le soir même, il a senti son cœur se serrer. Il voudrait pouvoir veiller sur Anna nuit et jour, et il ne ressent pas la même nécessité à l'égard des trois autres. Comme s'ils étaient plus solides, alors qu'Anna est celle qui a décroché le plus grand nombre de diplômes, alors qu'à vingt-six ans elle participe déjà aux affaires du monde. Pourquoi le bonheur d'Anna lui importe-t-il si profondément ? Sans doute parce qu'elle avance seule, pudique et secrète. Il se sent coupable de ne pas ressentir la même inquiétude à l'égard des trois autres, et alors, sans cesser de fixer la nuque fine d'Anna sous le chignon, il fait défiler devant ses yeux les visages de Claire, de Coline et de David. Ça va, songe-t-il, ça va, ils se savent aimés et ils savent aussi que j'ai ce truc avec Anna de vouloir toujours la protéger. Et même ils se moquent de moi, ils en rient. Surtout Coline, d'ailleurs, parce que Coline est comme moi, en vérité, elle adore sa sœur et se fait tout le temps du souci pour elle. Quand Anna se gare dans le champ, Paul est tout juste parvenu à se rassurer.

Les filles n'ont plus échangé un mot dans la voiture, et maintenant elles marchent devant lui avec Adèle, entre les oliviers, silencieuses et sûrement tendues. Ces oncles et tantes qu'elles ne connaissent pas, dont elles se passent très bien, et qu'elles vont devoir affronter, n'est-ce pas, pour lui faire plaisir. Enfin, c'est ce que Coline lui a laissé entendre − « Non mais papa, moi je veux bien les voir parce que je sais que tu les aimes, mais en vrai je m'en fiche d'eux. » Paul aussi est tendu.

À l'instant où elles apparaissent au coin de la terrasse, les conversations s'éteignent, puis tous les visages se tournent vers elles et il y a un moment de surprise − dans le brouhaha, ils n'ont pas dû entendre la voiture −, un moment de surprise, oui, d'autant plus que Coline et Anna ont marqué le pas et se tiennent comme interdites devant le nombre, avant que fusent les premières exclamations : « Et les voilà ! » s'écrie joyeusement Christine, dont le rire est aussitôt couvert par d'autres paroles de bienvenue, d'autres rires qui se perdent dans une bousculade pleine de petites attentions mutuelles, de rires, d'interjections et de gestes tendres. Tous veulent les embrasser, leur glisser un mot à l'oreille, d'amour, peut-être d'excuses, mais ils doivent d'abord se présenter, de sorte que se forme autour de l'une et de l'autre un petit attroupement impatient et mouvant que Paul observe de loin. Coline sourit, comme charmée par tant de gentillesse, quand Anna reste grave, les sourcils froncés, manifestement attentive à enregistrer le prénom de chacun et à mémoriser ce qu'ils lui disent.

Puis les groupes se défont petit à petit et, libérées, Coline et Anna font quelques pas au milieu de leurs oncles et tantes, mais comme sonnées, un peu ivres. C'est le moment qu'attendaient Claire et David pour venir les embrasser, lui précédé de Francky et elle de Jasmine, tandis que Jules les considère depuis les bras d'Agnès. Francky se jette dans ceux de Coline et Jasmine dans ceux d'Anna, et comme Claire, David et Agnès s'agglutinent autour de ces câlineries, il n'échappe pas à Paul que la scène illustre assez justement l'immensité des dommages : le noyau des siens, enfants et petits-enfants, et gravitant autour d'eux, souriants mais comme empêchés, ses frères et sœurs.

— Et maintenant à table ! s'écrie-t-il. Assez de bisous pour ce matin, tout le monde a faim.

Comme il enjambe le perron de la cuisine, Ludovic le suit, aussitôt rejoint par Basile et Maxime.

— Tout est prêt, les assiettes, les couverts, les verres... Vous pouvez y aller. Si j'ai bien compté, nous sommes dix-huit.

Pendant que ses frères dressent la table au milieu de l'agitation qui a repris, lui sort les plats du frigidaire. Différentes salades, du taboulé, du jambon cru, du saumon fumé pour ceux qui aiment, et puis il débouche du vin et comme il jette un œil sur la terrasse il voit que Nicolas et Adèle discutent avec Anna, tandis que Coline bavarde avec Christine, Béatrice se tenant légèrement en arrière, comme si elle n'osait pas intervenir.

Ils disposent le pain, l'eau, le vin, la chaise de Jules qui déjeunera à côté de Claire, celle de Jasmine à côté de Francky, un coussin pour la rehausser, puis les serviettes, les blinis chauds dans un torchon, la crème fraîche, les citrons, et quand tous les plats sont enfin sur la table Ludovic invite tout le monde à s'asseoir. C'est étonnant comme Ludovic, qui était le plus inflexible d'entre eux à vingt-cinq ans, le plus brillant aussi, réussissant tout ce qu'il entreprenait avant de tout envoyer balader – « je ne vais pas perdre un jour de plus avec tous ces cons » – est devenu affectueux, une sorte de parrain, songe Paul en le regardant placer les uns et les autres selon qu'ils souhaitent avoir le soleil sur le visage ou le préfèrent sur les épaules. Mais oui, bien sûr, comment n'y ai-je pas pensé plus tôt, s'amuse-t-il : Marlon Brando dans le film de Coppola, Marlon Brando dont il a le physique imposant et l'autorité, étant entendu que nous valons bien la famille Corleone pour ce qui est de la fermeture aux autres.

D'ailleurs, c'est Ludovic qui prend la parole, assis à la droite de Claire, au centre de la table, quand tout le monde est installé.

— Anna, Coline, David et Claire, je crois qu'on a tous échangé des mails avec vous, ces derniers mois, pour vous dire qu'on voulait vous connaître, et que vous rencontriez nos enfants, vos cousins. Tout est parti du film qu'a entrepris Maxime sur la famille. Je crois qu'au départ le sujet tournait autour de la rupture qu'avait provoquée le livre de Paul il y a près de trente ans. Paul a accepté d'être filmé et à partir de là nous avons tous pris conscience que nous avions fait une énorme connerie à votre égard. À l'égard de Paul aussi, mais en ce qui le concerne nous avions au moins des raisons d'être en colère, tandis que nous n'avions rien contre vous. On vous a condamnés injustement.

— On le regrette, et on vous présente nos excuses, intervient alors Nicolas. L'année dernière, à la même époque exactement, nous avons revu Paul. Ça n'a pas été facile, mais il y a de l'affection entre nous, toute une histoire qui a permis qu'on se retrouve. On se sent mieux aujourd'hui, en tout cas pour moi c'est un très grand réconfort. Le vrai problème est avec vous parce que nous n'avons rien vécu ensemble. Vous ne nous connaissez pas et on ne vous connaît pas. Nous n'avons en commun que des personnes, en l'occurrence votre père, et nos parents, c'est-à-dire vos grands-parents, que seul David a un peu connus, je crois.

Il y a soudain un silence parce que Nicolas s'est interrompu abruptement en fixant David et que celui-ci se tait.

— C'est surtout la maison de Saint-Malo dont je me souviens, finit-il par lâcher.

— C'est normal, dit Agnès, tu avais cinq ans le dernier été.

Elle s'est assise entre David et Francky, entre son fils et son petit-fils, et Paul, qui est en bout de table avec Anna, peut ainsi les observer de profil.

— Je suis retourné plusieurs fois à Saint-Malo depuis, reprend David. D'ailleurs, je te l'ai écrit, papa, quand on ne se voyait plus. Tu t'en souviens ?

— Très bien, oui. Tu me disais que les gens qui habitent la maison, aujourd'hui, t'ont tout de suite reconnu grâce à mes livres. Tu étais très en colère qu'ils sachent tout de nous, et de toi en particulier. À cause de mes livres.

— Voilà, oui. Mais on ne va peut-être pas reparler de tout ça maintenant... Je voulais juste dire que je me rappelle cette maison, sur la digue, et que je suis souvent retourné m'asseoir devant.

— Toi, Claire, tu n'en as aucun souvenir, je suppose ? s'enquiert Agnès.

— Ben non, si David avait cinq ans la dernière année, moi j'en avais deux...

Elle se moque gentiment de sa mère, tout en donnant à manger à son petit Jules. Ils sont assis en face d'Agnès et de David, côté soleil dans le dos. Paul a encadré dans son bureau une photo de Claire et de lui durant ce dernier été à Saint-Malo. Elle allait avoir deux ans, en effet. Il est assis sur les grosses pierres tapissées de varech, sous la digue, en maillot de bain, elle sur ses genoux, également en maillot de bain, et elle s'étouffe de rire parce qu'il essaie de l'embrasser dans le cou. Agnès les observe avec un demi-sourire. Elle n'est pas encore l'amante de Markus mais c'est cet été-là qu'il l'invite pour la première fois à dîner, profitant de ce que Paul est à Saint-Malo avec les enfants.

— Tu sais que je me souviens très bien de toi, dit Christine, revenant à David. Un adorable petit garçon blond comme les blés. Tu étais toujours fourré avec les deux aînés de Frédéric. Vous faisiez des parties de cache-cache qui rendaient maman folle parce qu'il y en avait toujours un pour s'ouvrir un doigt de pied sur les marches du jardin...

— Qu'est-ce que tu étais mignon ! renchérit Adèle. Un petit caramel, hein, Agnès ?

— Mais tu ne te rappelles pas nos parents, David ? l'interroge Maxime.

— Vaguement de mamie avec son grand nez... c'est tout.

— Moi, dit Anna, je me souviens d'elle.

— Tu te souviens de notre mère ? s'étonne Ludovic.

— Oui, on était allés la voir avec papa et maman dans une espèce d'hôpital.

— Deux ou trois semaines avant sa mort, confirme Paul. Je ne l'avais pas revue depuis la publication de mon livre et elle m'a demandé de venir. Elle voulait nous dire au revoir.

— Ta fille avait quel âge ? l'interroge Ludovic.

— Trois ans et deux mois, puisque maman est morte en avril.

— Mais vraiment tu te souviens d'elle ? insiste-t-il, revenant à Anna.

— Bien sûr.

— Anna ! s'étouffe Coline. Elle est incroyable, celle-là !

— Elle avait fait rire maman, ajoute Paul, parce qu'elle n'avait pas arrêté de lui parler pendant deux heures.

Les plats ont tourné, Ludovic, bien situé (la place de Jésus dans les représentations de la Cène), a rempli les verres, certains ont commencé à manger, d'autres non, et maintenant la plupart observent Anna avec une expression amusée. Les mêmes, la croisant dans les bras de Paul à l'enter-rement de leur père, trois semaines avant celui de leur mère, ne lui avaient pas jeté un regard. À un moment, comme ils patientaient à l'écart sur le parvis de la chapelle, Ludovic s'était approché : « Paul, on peut te parler ? » Il avait confié Anna à Esther (qu'aucun n'avait saluée) et il avait suivi Ludovic. Alors ils lui étaient tombés dessus à quatre ou cinq (Nicolas, Maxime, Basile...) et avaient menacé de lui casser la gueule. « Tu fous le camp, tu n'as rien à foutre ici. — Vous ne pouvez pas m'empêcher d'assister à l'enterrement de papa. — Tu fous le camp ! — Je vous emmerde ! » Ils avaient vaguement commencé à se battre, puis Paul avait couru vers Esther et Anna, et ils avaient laissé tomber. Il sait qu'Anna, dont la mémoire doit être normalement sélective, n'a pas gardé d'images de cette scène terrifiante, il s'en est discrètement assuré un jour où ils parlaient ensemble de ses parents.

— Toi, Anna, comment vois-tu les choses aujourd'hui, l'entreprend soudain Basile. Ajoutant aussitôt : Et après, ce sera à ton tour de nous dire, Coline, d'accord ?

Coline et lui sont assis côte à côte, à angle droit avec Anna et Paul.

— Quelles choses ? demande Anna.

— Ta place dans la famille, je veux dire.

— J'ai vingt-six ans, hein. Coline vingt-trois. Et c'est seulement maintenant que vous vous souvenez qu'on existe.

Paul sait qu'elle est tendue, mais elle n'en montre rien. Elle est habituée à intervenir dans des conférences, à s'exprimer devant des amphithéâtres pleins. Il note qu'elle embarque Coline, mais ne s'autorise pas à parler au nom de Claire et de David.

— On se dit qu'il n'est pas trop tard, lui rétorque Nicolas, sourire extatique, depuis l'autre extrémité de la table. Qu'il n'est jamais trop tard.

— J'aurais eu besoin de vous à treize ou quatorze ans, de parler avec d'autres adultes que mes parents, reprend alors Anna. C'est comme ça que j'ai rencontré Adèle, en écrivant à sa fille qui est née la même année que moi, j'avais remarqué ça. J'ai cru que quelque chose allait arriver parce que Adèle a été très gentille. Elle m'a tout de suite invitée à passer l'après-midi chez eux, j'ai fait la connaissance d'Eugénie, nous avons sympathisé, nous aurions pu devenir amies, je crois. Quand Adèle m'a proposé de m'emmener à une réunion de famille, avec Eugénie, j'ai tout de suite accepté. J'ai pensé que si vous étiez tous aussi gentils qu'elle, et tous les cousins comme Eugénie, j'allais être bien accueillie et trouver une famille. Enfin, des gens qui s'intéresseraient à moi et auxquels je pourrais parler. Mais personne ne m'a adressé la parole, personne n'est venu me voir. Eugénie m'a présentée à des cousins qui n'ont pas eu l'air de comprendre qui j'étais et qui ne m'ont posé aucune question. J'ai fini par me retrouver toute seule et aucun d'entre vous ne s'est intéressé à moi. Le seul dont je me souvienne, c'est Frédéric. Lui m'a demandé qui j'étais et quand j'ai répondu : « Anna, la fille de Paul », il s'est aussitôt éloigné, comme si ma présence était une insulte à sa personne.

Elle se tait, bien droite, tous la contemplent et plus aucun ne sourit.

— Anna, nous sommes désolés, dit Ludovic après un moment, légèrement penché en avant pour attraper son regard. Accepte nos excuses et sache que tu as ta place parmi nous si tu le veux.

— Nous avons été très injustes avec vous quatre, les enfants de Paul, renchérit Christine, allant de l'un à l'autre. Et c'est maintenant que nous en prenons conscience. Mais vous devez savoir aussi que, pour chacun d'entre nous, la vie n'a pas été facile – nous n'avions pas besoin, en plus, du livre de Paul. Il a fait beaucoup de mal à nos parents, il faut le dire, et certains d'entre nous, dont Frédéric, ne l'ont pas supporté. Du coup, nous avons rejeté Paul et nous n'avons pas su vous distinguer de lui, vous faire une place malgré tout. C'est une faute impardonnable, j'en suis consciente, Anna, mais tu vois, je ne sais même pas si, au fond, nous aurions pu construire une véritable relation avec vous tout en tenant Paul à l'écart. Je ne sais pas.

— Attends, Christine, reprend Maxime, la vérité c'est que nous n'avions pas à prendre position pour ou contre le livre de Paul, c'est une chose que j'ai comprise récemment. Paul écrit, c'est son affaire, en quoi cela nous regarde-t-il ? Son livre faisait du mal aux parents ? Eh bien, c'était aux parents de se démerder avec lui. Au lieu de ça, Frédéric s'est imposé comme leur défenseur, et nous, comme des abrutis, nous l'avons suivi, alors que nous étions quelques-uns, notamment Nicolas et Ludovic, à trouver très bien le manuscrit de Paul. Frédéric a pris la place de papa, comme il en avait l'habitude et, bien sûr, l'autre con l'a laissé faire, trop content de se planquer. À partir de là tout est parti de travers, plus personne n'a su où était sa place. Nous n'avions pas à juger Paul, si les parents étaient blessés par son livre, c'était un problème entre eux et lui, un problème qui ne nous concernait pas, qui n'aurait pas dû nous concerner.

— C'est papa que tu appelles « l'autre con » ? s'enquiert Anne-Cécile.

— Là, tout de suite, je n'en vois pas d'autre, rigole Maxime.

— Oui, eh bien moi je ne trouve pas ça drôle, figure-toi. Tu n'as pas à insulter notre père.

— Laisse tomber, Anne-Cécile, tranche Ludovic. Laisse tomber, on s'en fout. Sur le fond, Maxime a raison, bien sûr. Si Toto avait été un père digne de ce nom, il se serait fritté avec Paul et nous aurait tenus à l'écart. C'est vrai qu'avec le recul on se demande comment on a pu laisser Frédéric occuper le devant de la scène. Au nom de quoi ? Quelle était sa légitimité pour interdire à Paul de publier son livre ?

— Excuse-moi de te contredire, Ludovic, intervient alors Béatrice, la voix altérée par un tremblement qui se lit sur son visage, mais moi, si j'en

avais eu le courage, j'aurais fait comme Frédéric :
j'aurais écrit à Paul pour lui demander de ne pas
publier son livre.

Tous les regards se tournent vers elle, la surprise
est si profonde que soudain l'on n'entend plus que
Jasmine qui raconte à Francky une histoire de bébé
qui ne veut pas faire la sieste – « Maintenant, tu
dors, hein, sinon je vais beaucoup me fâcher ! »
Elle imite une maman terriblement en colère.

Paul voit que Claire sourit de la véhémence de
sa fille, tandis que tous les autres semblent sus-
pendus aux lèvres de Béatrice.

— Je l'ai dit à Paul tout à l'heure, reprend-elle,
j'ai honte de la façon dont il parle de nous.

— Mais pourquoi, honte ? l'interroge calmement Ludovic. Honte de quoi ? Et vis-à-vis de
qui ?

— Je l'ai dit à Paul, je n'ai pas envie de revenir
là-dessus.

Elle est sur le point de pleurer, et Nicolas vole
à son secours.

— Mais Béatrice, on les emmerde, les autres !
Tu n'as aucune raison d'avoir honte…

— Je vais vous dire une chose qui me semble
soudain évidente, s'entend alors expliquer Paul : si
Béatrice m'avait demandé de ne pas publier mon
livre, au nom de la honte, je ne l'aurais pas publié.
J'en ai eu l'intuition quand nous en avons parlé,
elle et moi, juste avant de passer à table. Mais là,
tout de suite, j'en suis certain. J'ai eu la force de
venir annoncer aux parents que j'allais le publier.

Je me revois disant à maman : « Je t'ai supportée pendant vingt ans, maintenant tu vas supporter mon livre. » Maxime a raison, c'était une affaire entre eux et moi, et ç'aurait dû le rester. Sauf si l'un d'entre vous était venu m'exprimer les dommages qu'allait causer mon livre dans sa vie. Comme Béatrice vient de le faire, mais évidemment trop tard. Je n'aurais pas eu la force de piétiner la peine de Béatrice, ni celle d'aucun d'entre vous, et j'aurais renoncé, je le sais.

Tout en parlant, il ne peut pas se défendre d'un inavouable soulagement : quelle chance inouïe il a eue qu'aucun d'entre eux ne se soit manifesté ! S'il avait renoncé à ce livre, il aurait renoncé aux suivants et aurait petit à petit sombré dans la dépression qui le guettait à vingt ans, et même à quinze, et même à dix. Il serait probablement mort depuis longtemps, tandis qu'adossé à ses livres, et en dépit de deux divorces, il a tenu.

— Si c'est ça, pourquoi n'as-tu pas pris en compte les demandes de Frédéric ? s'étonne Anne-Cécile. Il t'a écrit à plusieurs reprises, il me l'a dit. La peine de Frédéric, tu t'en fiches ?

— Anne-Cécile, Frédéric m'a écrit au nom des parents, en invoquant la honte qu'ils allaient ressentir à l'idée que tous leurs amis et oncles et tantes découvrent leur cinglerie, la folie de maman, ses chantages au suicide, les coups foireux de Toto… Frédéric a prétendu que je trahissais nos parents pour « la pauvre gloire » que me rapporterait la publication de mon livre. Lettre après lettre, il m'a traité de traître et de salaud. Il n'a jamais été question du tort que mon livre pourrait lui causer dans sa vie personnelle. Et pourtant, c'est bien de cela qu'il s'agissait, je l'ai très vite compris. Au prétexte de défendre nos parents, Frédéric s'est battu pour lui-même, mais jamais il ne l'avouera, et il se peut même qu'il ne le sache pas, qu'il n'en ait pas eu conscience. Je vais te dire un secret, Anne-Cécile : Frédéric rêvait d'être celui qui écrirait dans notre famille. Il avait quatorze ans quand il m'a dit qu'il serait écrivain, plus tard, et tu vois, c'est sans doute grâce à lui que je le suis devenu. Nous vivions dans cette cité de merde à l'époque, à la bougie, et Frédéric et Christine étaient nos parents de substitution. Ils n'avaient que quatre et cinq ans de plus que moi, mais quand tu as dix ans, un frère qui en a quatorze peut être un modèle. Je ne croyais pas grand-chose de ce que racontait papa, mais tout ce que disait Frédéric me donnait à penser et m'a permis de grandir. Sans lui, c'est une étrange ironie, je n'aurais peut-être pas eu recours à l'écriture pour me sauver. La vie a fait que Frédéric a dû travailler très tôt avec papa pour nous éviter de finir à l'Armée du salut, et qu'il a dû renoncer à son beau projet, ou qu'il l'a oublié, je ne sais pas. Et c'est moi qui le lui ai rappelé, bien des années plus tard, en lui adressant par la poste mon premier manuscrit, comme je l'ai fait pour chacun d'entre vous, en vous précisant que j'avais un éditeur et que le texte paraîtrait en septembre, à la rentrée littéraire. La croisade qu'a immédiatement engagée Frédéric contre mon livre, en me menaçant et en m'insultant, m'a d'abord laissé sans voix. Durant notre enfance, c'est lui qui s'était montré le plus insultant contre nos parents, traitant maman de « conne » et de « comédienne », et papa de « minable ». Je m'étais autorisé à en faire autant, et c'était bien, ç'a été salvateur, je crois, en me permettant de dédramatiser certaines scènes vraiment insupportables. Pourquoi, devenu adulte, souhaitait-il avec tant de force protéger nos parents, et que rien ne soit dit de leur folie ? Je me le suis demandé, et il m'a fallu quelques semaines pour comprendre que ce qu'il voulait, surtout, c'était m'empêcher de devenir ce qu'il avait rêvé d'être.

— C'est ton interprétation, Paul, et Frédéric n'est pas là pour te contredire.

— Et ça ne t'étonne pas qu'il ne soit pas là, Anne-Cécile ? Vous m'avez tous appelé ce fameux printemps – sauf lui. Pourquoi avez-vous tous décidé de me rendre ma place parmi vous, avec mes livres, ou en dépit de mes livres, à l'exception de Frédéric ? C'est dire que lui me voue une rancune tenace. Si elle n'est pas nourrie de ce que je viens de t'expliquer, j'aimerais savoir de quoi est faite cette rancune. Mais Frédéric ne veut pas le dire. Il a laissé croire à Maxime qu'il parlerait dans son film, pour finalement se défiler après une année de rendez-vous ajournés. Son silence me porte à croire que ses raisons de m'en vouloir ne sont pas avouables.

Paul se tait, et cette fois Anne-Cécile ne le relance pas. Comme chacun semble méditer, le nez dans son assiette, il regrette d'avoir prêté le flanc à cette polémique et ramené la conversation à lui quand il aurait dû laisser la parole à ses enfants.

— Bon, dit Basile, et toi, Coline ?

— Ah oui, moi…, dit-elle en riant. Moi, ce n'est pas comme Anna, je ne vous ai pas cherchés. Moi, ma famille, c'est celle de maman, en fait. Ce ne sont pas du tout des gens comme vous. Elle a beaucoup de frères et sœurs, ils habitent tous à la campagne. Enfin, ceux que je vois le plus, hein, et je me sens bien chez eux. Voilà.

Elle hausse les épaules et regarde les uns et les autres en souriant.

— Tu veux dire que tu te passes très bien de nous ? la relance Basile.

— Ça me fait plaisir pour papa que vous soyez revenus vers lui, mais moi je me sens plus une Mougeot qu'une Dunoyer de Pranassac.

Elle a articulé « de Pranassac » en détachant les syllabes et en levant les yeux au ciel.

— Coline ! s'écrie Claire, étouffant un rire.

— Ben oui, c'est vrai, dit-elle, je préférerais m'appeler Mougeot, comme maman, que porter ce nom ridicule.

— Mais tu pourrais dire ce que tu trouves ridicule dans notre nom ? l'interroge Ludovic avec bienveillance.

— C'est un nom de riches, juste fait pour écraser les autres, quoi.

— Pourtant, je t'assure que nous ne sommes pas riches ! s'esclaffe gentiment Christine. Nos parents sont morts dans un foyer pour nécessiteux avec sur le dos la seule chemise que chacun possédait.

— Non, mais pas vous. Vous, vous êtes une exception, reprend Coline. La plupart des gens qui ont des noms comme ça sont riches et méprisent les autres.

— Moi, intervient alors Anna, je ne partage pas l'avis de Coline, j'aime bien notre nom, mais en revanche je suis d'accord avec elle sur le côté snob. D'ailleurs, ajoute-t-elle avec un discret sourire, j'ai pensé que vous l'étiez, snobs, à cette unique réunion de famille à laquelle j'ai participé. Même si vous avez connu la pauvreté, vous avez dû transmettre à vos enfants les façons de la bourgeoisie. Je l'ai ressenti, à la fois chez certains d'entre vous et chez la plupart de vos enfants, et je me suis sentie exclue comme si je n'étais pas de votre monde.

— Ah oui, je comprends, observe gravement Ludovic. Mais qu'est-ce qui te fait penser que tu ne serais pas de notre monde ?

— Notre éducation. Papa et maman nous ont transmis des valeurs de gauche. Laïques et de gauche. Et je n'ai pas senti chez vos enfants les mêmes valeurs.

— Parce que tu n'as pas rencontré les bons ! lui lance Maxime en riant. Si tu avais rencontré ceux de Basile, ou les miens, tu aurais peut-être accroché.

— Maxime plaisante, remarque Basile. Mais c'est vrai qu'il y a sans doute des différences entre nos enfants. Il faut te dire, Anna, qu'il y a deux courants dans notre famille : les croyants, qui penchent plutôt à droite, et les non-croyants qui sont plutôt comme tes parents. Chez les croyants, on trouve Christine, Béatrice et Anne-Cécile – je parle sous votre contrôle, les filles, n'hésitez pas à me contredire. Chez les non-croyants, on trouve tous les garçons, et Adèle.

— Enfin, certains des garçons ont la foi, le corrige Ludovic, mais il est exact qu'il y a une ligne de partage entre nous.

— Est-ce que c'est une ânerie de prétendre que vous avez suivi le modèle de maman en réussissant là où elle a échoué, s'interroge Paul en regardant ses trois sœurs catholiques : un mari qui assure, beaucoup d'enfants, et leur mère à la maison ?

— Tu sais, dit Christine, c'était un modèle encore assez répandu quand nous nous sommes mariées… Mais il est certain que maman nous a enviées d'avoir à la fois beaucoup d'enfants et suffisamment d'argent pour les élever. Grâce à nos maris, oui.

— Elle était surtout jalouse de toi, Christine, relève Béatrice. Ses autres filles n'ont jamais compté à ses yeux. En tout cas, Adèle et moi, elle ne nous aimait pas. Mon Dieu qu'elle était méchante, quand j'y pense ! Mais je n'ai pas envie de revenir là-dessus. Les seuls qui existaient à ses yeux étaient les trois garçons : Frédéric, Nicolas et Paul.

— Elle a pu se reposer sur Frédéric qui a bien souvent rattrapé les bêtises de papa, observe Christine. Vous, les petits, je ne sais pas où vous auriez fini si Frédéric n'avait pas été là... À l'Assistance publique, probablement. Je le dis parce que je vous trouve un peu injustes à son égard.

— Toi, Christine, intervient Maxime, ça ne te choque pas que Frédéric soit resté sous le même toit que les parents jusqu'à ses trente ans ? Alors que Nicolas et Paul s'étaient tirés depuis longtemps, et qu'Anne-Cécile et toi étiez mariées.

— Je te signale que moi aussi je m'étais tiré, dit Ludovic. Grâce à Nicolas, qui m'a sorti de ce merdier.

— Oui, pardon, s'excuse Maxime. En somme, il ne restait plus à la maison que les quatre derniers : Béatrice, Adèle qui devait mourir (Dieu ait son âme), Basile et moi. Et Frédéric donc, de douze à quinze ans plus âgé que nous.

— Pourquoi est-ce que je serais choquée ? s'étonne Christine. Je pense qu'il s'est sacrifié pour vous, tout simplement.

— Moi je pense qu'il était en plein œdipe, lâche Maxime avec son drôle de rire. Toto ne faisait que des conneries, c'est l'époque où il est passé à deux doigts d'être foutu en taule, et Frédéric a pris sa place.

— C'est vrai qu'il décidait de tout avec maman, se souvient Béatrice. Ils s'enfermaient tous les deux dans la cuisine pendant des heures et on les entendait papoter. Tu te rappelles, Adèle ? Le plus bizarre, c'est qu'on a pu le considérer comme un père alors qu'il était tellement méchant, lui aussi...

— Surtout avec toi, dit Adèle. Je ne vais pas répéter ici le surnom qu'il t'avait donné, mais c'était vraiment méchant.

— Oui, et maman riait, reprend Béatrice. C'était ça le plus douloureux. Elle aurait dû nous défendre, mais elle riait. Alors lui en rajoutait. Ils étaient complices contre nous. Et malgré ça, je vais vous avouer une chose : jusqu'à aujourd'hui, lorsque j'ai un gros souci dans ma vie personnelle, mon premier réflexe est de vouloir appeler Frédéric. Je ne le fais plus, bien sûr, mais chaque fois j'y pense.

— Tu sais que moi aussi ? dit Paul. Moi aussi. Jusqu'à la rupture provoquée par mon livre, j'appelais Frédéric avant de prendre une décision importante. Papa était vivant, mais ça ne m'aurait pas traversé l'esprit de lui demander son avis.

Évidemment, songe-t-il, j'étais son tuteur. C'était à lui de me demander mon avis, il n'avait plus le droit de signer un chèque sans m'appeler, la justice avait inversé les rôles. Le juge des tutelles avait dû l'interroger sur l'identité d'une personne de son entourage susceptible de le contrôler, et il avait proposé mon nom. Pourquoi moi

plutôt que Frédéric ? Tout en réfléchissant, Paul
lève les yeux de son assiette – la conversation
semble s'être momentanément épuisée autour de la
table. Oui, pourquoi moi ? Un jour, Paul avait
appelé Toto et lui avait proposé de l'emmener à
Bordeaux. « Je voudrais que tu me montres tous
les lieux de ton enfance, papa. Une petite semaine.
Ça ne te coûtera rien, je paierai tout. — Ta mère
n'aime pas beaucoup Bordeaux, tu sais. — Ah,
mais je ne veux pas qu'elle vienne ! Juste toi.
— Huit jours, dis-tu ? — Cinq, si tu préfères.
— Écoute, ça devrait être possible, j'en parle à la
reine mère et je te rappelle. » Plus tard, dans ses
lettres, Frédéric avait traité Paul d'« hypocrite »,
de « tartuffe », prétendant qu'il avait monté ce
pèlerinage pour pouvoir écrire son « torchon ». Il
est certain que le récit de Toto l'avait bien aidé.
Mais surtout, ce voyage avait ravivé la complicité
qui les liait dans les années chaotiques, et parfois
terrifiantes, qui avaient suivi l'expulsion et Toto
avait sans doute pensé que Paul serait un tuteur
plus accommodant que Frédéric.

— Je peux dire un truc qui ne va pas forcément
vous plaire ? intervient soudain David.

Comme toutes les têtes se tournent dans sa
direction, il laisse un instant planer le suspense.

— Quand on vous écoute, reprend-il, on comprend que vous n'êtes pas encore guéris de votre
enfance. Alors que vous êtes tous parents, et même
grands-parents pour certains, vous en êtes encore

à vous questionner sur votre identité, comme des adolescents. D'ailleurs, papa n'aura fait que ça toute sa vie : revenir sur son enfance. Je n'ai pas lu ses livres, à part un ou deux, mais je ne crois pas me tromper. Il aura passé sa vie à interroger son enfance en oubliant de regarder ce qui se passait autour de lui. Je ne sais pas pour vous, je ne vous connais pas, mais en vous entendant j'ai l'impression que vous devez être comme lui : plus préoccupés de vous-mêmes que des autres, et notamment de vos enfants.

— Ah non ! s'écrie Anne-Cécile. Excuse-moi, David, mais je suis révoltée par tes propos. J'ai consacré ma vie à mes enfants, alors m'entendre dire aujourd'hui que j'aurais oublié de les regarder... Non, non, et non.

— C'est sans doute injuste pour toi et pour certains d'entre nous, observe Adèle, mais David n'a pas tort : nous n'avons pas appris de nos parents à être parents, et du coup nous avons tâtonné en faisant sans cesse des allers et retours vers notre enfance pour nous remémorer les choses à ne pas faire avec nos enfants. J'ai voulu être une bonne mère, calme, attentive et prévenante, au contraire de la nôtre, et aujourd'hui mes enfants me reprochent parfois ce que je pensais avoir le mieux réussi.

— Au moins, toi, tu as essayé autre chose, dit Paul. Tandis que moi, avec David, j'ai carrément rejoué Toto. Je n'avais pas vraiment réfléchi à ce que c'est qu'être père et j'ai attendu qu'une complicité s'installe entre David et moi. Je la croyais naturelle puisqu'elle avait si bien fonctionné entre papa et moi. Mais David n'a jamais voulu être mon complice, dès l'âge de quatre ans il m'a signifié que je devais prendre la place du père, et il s'est très vite mis en colère. Il me mordait quand il le pouvait. Il était sans cesse en rogne contre moi – tu le sais, David, hein, nous en avons parlé. Quand je revisite notre relation, j'en ai clairement conscience, mais je ne l'ai pas compris sur le moment. Et quand j'ai voulu corriger, j'ai en effet tâtonné, comme tu le dis, Adèle, parce que c'est très difficile d'inventer de toutes pièces un rôle que l'on n'a pas vu jouer. Et d'ailleurs, je n'ai pas réussi.

— Mais toi aussi, David, tu reviens sur ton enfance, bondit subitement Nicolas. Tout à l'heure, je t'ai entendu dire que tu es retourné plusieurs fois à Saint-Malo t'asseoir devant la maison.

— Plusieurs fois, oui. J'y suis même allé avec Franck l'été dernier. Mon rêve serait de la racheter.

— Tu vois ! C'est pareil pour nous, c'est pareil pour Paul, on vieillit, mais jusqu'à la mort on continue de garder le petit en nous. C'est lui qui te ramène à Saint-Malo, David. C'est lui ! On vieillit, on a tous les cheveux blancs et des poches sous les yeux, un jour tu seras comme nous, mais tu verras, le petit sera toujours bien vivant en toi, intact, bloqué dans sa croissance entre cinq et dix ans.

C'est la première fois que Paul entend son fils dire qu'il voudrait racheter la maison de Saint-Malo. Au même âge, trente-cinq ans, alors qu'il commençait à gagner un peu d'argent, lui avait imaginé acheter le château de Cestas, près de Bordeaux. Au temps de Neuilly, ils passaient les vacances de Pâques au château, entre les oncles et tantes de leur mère et quelques cousins plus âgés. Puis leur mère avait été bannie après l'expulsion de Neuilly, elle était devenue un objet de honte pour les siens, et ils n'étaient plus retournés à Cestas. Mais le château ne s'était pas effacé de la mémoire de Paul et tous les souvenirs qui s'y attachaient lui étaient devenus précieux, comme parés d'une sorte d'incandescence. Il existait sur la terre un endroit où étaient réunis tous les éléments mystérieux du bonheur, croyait-il, et s'il parvenait à acheter cet endroit il se réapproprierait dans le même mouvement le paradis perdu. Il était assez lucide pour savoir qu'une fois propriétaire du château il n'y retrouverait pas sa cousine Gwenaëlle, âgée de seize ans quand il en avait huit, dont la beauté l'avait ébloui, ni son premier vélo, ni le parfum des écuries où les chevaux des oncles lâchaient de formidables crottins, ni l'odeur de feu de bois qui flottait autour du château à l'heure où le soleil d'avril se couchait et où montait de la terre une humidité qui le faisait frissonner. « Viens, mon petit cousin, disait Gwenaëlle, maintenant on va rentrer se mettre au chaud », et parfois, à ce moment-là, elle l'embrassait. Il savait, bien sûr, mais il ne pouvait pas se défaire malgré tout d'une espérance.

— Comme je te comprends, dit Christine à David. Tu sais, je crois qu'on a tous rêvé de pouvoir racheter cette maison. Malheureusement...

— Puisque tu parles de ma colère, papa, reprend David, ignorant Christine, j'en profite pour te dire que je ne t'ai jamais pardonné de m'avoir privé des étés à Saint-Malo. Quand j'y pense, c'est peut-être le seul endroit où je me suis senti vraiment heureux. Tu ne peux pas savoir...

— Si, je sais, David, je t'ai privé de la maison de Saint-Malo et des fils de Frédéric qui étaient tes cousins préférés. Je sais très bien ma responsabilité, mais qu'est-ce que je pouvais faire ? Renoncer à publier mon livre pour préserver ta place dans la famille et conserver la mienne ? Alors on serait retournés à Saint-Malo, oui, mais quel homme je serais devenu ? Tu imagines un peu ?

— On en a déjà parlé, tu n'avais pas le choix, et je ferais comme toi si je me retrouvais dans la même situation. Mais putain, c'est pas facile d'être l'enfant du traître ! Qu'est-ce que j'ai fait, moi, à six ans, pour mériter ça ? Tu y penses, tu y repenses, et tu ne peux pas t'empêcher d'être en colère.

— Ce n'était pas facile non plus d'être la femme du traître, dit doucement Agnès.

— Non, mais tu as été parfaite, Agnès, remarque Paul, j'en profite pour te le dire puisque je n'en ai jamais eu l'occasion. Tu m'as poussé à publier et je me rappelle la lettre que tu as écrite à Frédéric lui expliquant qu'il pouvait me bannir s'il le voulait mais qu'il n'avait pas le droit de condamner David à la même peine.

— S'il te plaît, Paul, je n'ai aucune envie d'entendre des compliments venant de toi. S'il te plaît. La vérité, c'est que tu nous as tous placés dans une situation impossible : tu allais mourir si tu ne publiais pas, ça c'est vrai, je le crois, mais du coup tu nous as tous soumis à ton désir, ou plutôt à ta névrose, David, Claire, moi… C'est toi qui m'as forcée à écrire cette lettre à Frédéric, implicitement je veux dire. C'était la seule solution pour essayer de sauver ce qui pouvait l'être : les liens de nos enfants avec ta famille. Et ça n'a pas marché, comme on le sait. Aujourd'hui, bien sûr, c'est facile de rejeter toute la faute sur Frédéric. Mais tu oublies que le premier coupable, c'est toi, Paul.

— Il faut reconnaître, papa, que maman n'a pas tout à fait tort, observe Claire en riant. S'il y a une chose que personne n'est autorisé à contester dans la famille, c'est ton droit à écrire ce qui te plaît. Tu es d'accord, non ?

— Je ne me vois pas vous demandant votre permission, ma chérie. J'écris, c'est ma vie, un point c'est tout.

— Oui, voilà, abonde Agnès, tu écris, c'est ta vie, un point c'est tout, et tu te fiches des conséquences.

— Non, je ne me fiche pas des conséquences, mais je dois écrire, je n'ai pas le choix.

— Paul, tu t'entends, là ? s'énerve Agnès. « Je dois écrire, je n'ai pas le choix. » Qui est-ce qui te force à écrire toutes les saloperies que tu balances sur ta mère ? Qui est-ce qui te force à raconter notre intimité ? La première fois qu'on a fait l'amour et j'en passe... Merde à la fin, on a toujours le choix dans la vie ! Tu reproches à ta mère de n'avoir pensé qu'à elle, à ses désirs de grandeur, de vous avoir tous sacrifiés sur l'autel de sa folie, mais qu'est-ce que tu fais d'autre ? Toi aussi, tu obéis à ta névrose, figure-toi. Et le pire c'est que tu n'en as même pas conscience.

— Je dis que je *dois* écrire, Agnès, parce qu'il me semble indispensable de nommer tout ce qui survient dans la vie. Je vois bien que tout le monde n'en ressent pas la nécessité, mais moi, si, je deviendrais fou sans ça. Quand je raconte la première fois que nous avons fait l'amour, ce n'est pas pour t'embêter ou te faire honte, ce n'est rien de tout ça, c'est seulement que ce fut une telle émotion que je dois absolument la décrire, pour la comprendre, pour la retenir. Et sur ma mère, ce ne sont pas des saloperies, tu te trompes, Agnès, j'écris ce que j'ai vu d'elle, ce qui m'a fait tellement peur, cela peut te sembler indécent et abominable à son égard, mais je n'aurais pas pu le garder au fond de moi, j'en ai donc fait une œuvre à part, comme une sculpture, si tu veux, que je reprends inlassablement, livre après livre, au fil de l'évolution de mon regard sur elle en vieillissant.

Agnès fixe ostensiblement son verre de vin tandis que Paul parle à son profil. Puis il s'interrompt et pendant un moment seul le bruit des couverts meuble le silence.

— J'ai longtemps pensé, reprend-il, que mes enfants me sauraient gré de leur laisser tous ces livres, à la fois sur eux et sur moi, et aussi sur la vie, sur la mystérieuse horlogerie de la vie. Qu'ils ne s'arrêteraient pas à l'impudeur que tu me reproches, Agnès, et qu'on me reproche souvent. Que pèse l'impudeur au regard d'une tentative d'explication de ce qui nous fait cogner le cœur tout au long de la vie ? J'aurais tellement aimé que papa nous laisse quelque chose d'écrit sur ce qu'il a aimé, ce qu'il a tenté, ce qu'il a espéré. J'ai gardé ses rares lettres et deux ou trois chèques sans provision qui m'ont été retournés quand j'étais son tuteur. Bon, mais j'ai bien compris que mes enfants me sauraient plutôt gré d'arrêter d'écrire, ce que je ne ferai pas. Voilà, je crois que le débat est clos.

— C'est bien ce que je dis, lâche Agnès : tu es prêt à tout sacrifier pour continuer d'écrire.

— Oui, mais je suis conscient qu'il y a un prix à payer, et je paye.

— Nous aussi, ajoute David avec un mince sourire.

Mais cette fois Paul décide de se taire.

— Tu dois quand même savoir une chose, David, intervient Maxime après un nouveau silence, c'est que tu n'as raté qu'un été à Saint-Malo. Un peu moins de deux ans après la publication du livre de Paul, la maison a été saisie et elle est revenue au principal créancier de notre père, le type qui lui avait prêté l'argent pour l'acheter.

— En fait, dit Christine, il s'est passé exactement la même chose qu'à Neuilly, c'est ça qui est affolant quand on y pense : papa a laissé croire à maman qu'il remboursait les traites chaque mois, mais il n'a jamais rien remboursé en réalité et, à la fin, avec les intérêts de retard, la somme est devenue monumentale, sans doute bien supérieure à la valeur de la maison, et le tribunal a ordonné sa saisie. Si seulement on l'avait su dès les premières années, on aurait sans doute pu la sauver en s'y mettant tous. Mais papa a menti, comme il l'a fait toute sa vie, et quand on a découvert l'énormité de la dette, il était trop tard pour tenter quoi que ce soit.

— La gueule de la baronne quand elle a compris, observe gravement Basile. J'étais là, c'est un des pires moments de ma vie. Je crois qu'elle aurait pu tuer Toto si elle en avait eu la force. J'ai repensé à ce que Paul écrit de l'expulsion de Neuilly, sauf qu'à Neuilly elle avait trente-huit ans et la vie devant elle, tandis qu'à Saint-Malo elle en avait soixante et onze. Elle se retrouvait de nouveau sur le trottoir avec ses valises. Putain, c'était insupportable.

— Et un mari de soixante-douze ans dont le cœur pouvait lâcher d'un jour à l'autre, ajoute

Christine. Mon Dieu, nos pauvres parents, quelle vie ils ont eue !

— On peut aussi considérer qu'ils sont responsables de leurs conneries, lance Nicolas.

— Oui, je suis assez d'accord, approuve Ludovic, même si je partage complètement ce que dit Basile. Moi aussi je les ai vus à ce moment-là, et ce n'était pas humainement supportable.

— C'est dingue ce qu'elle s'est pris dans la tronche, la baronne, commente doucement Adèle. On a beau dire, elle était solide.

— Mais ça l'a tuée ! rétorque vivement Christine. Ça l'a tuée ! Je te signale que moins de six mois se sont écoulés entre la perte de sa maison et la découverte de son cancer. Je me souviens m'en être fait la réflexion le jour où elle m'a appelée pour m'annoncer qu'on lui avait trouvé une tumeur. La perte de cette maison, ç'a été sa mort.

En les écoutant, Paul mesure la chance qu'il a eue de n'avoir rien su de cette ultime expulsion. C'est seulement à la mort de leurs parents qu'il a découvert que la maison avait été saisie. Il vient d'expliquer à Agnès qu'il a constamment payé le prix pour s'offrir le droit d'écrire, mais en l'occurrence son livre, et le bannissement qui l'a suivi, lui a épargné d'avoir à revivre la chute de Neuilly – sa mère devenue folle, tournant sur elle-même comme une toupie, les sanglots de Christine, les va-et-vient de Toto, hagard, au milieu des déménageurs qui démontaient tout, qui cassaient tout. Et

puis elle ne le sait pas, mais Christine vient de le
décharger d'un poids dont il n'a jamais su que
faire : sa responsabilité dans la mort de leur mère.
Quelques jours après la publication de son livre,
elle l'avait appelé – « Allô ? » On se taisait à
l'autre bout, mais il entendait une respiration hale-
tante et il avait eu l'intuition que c'était elle.
« Allô ? avait-il répété. — Paul ? — Oui, c'est
moi. — Papa est à l'hôpital. Assassin ! Espèce de
salaud ! » Et elle avait raccroché. Il avait tremblé
durant quelques jours à la pensée d'avoir tué son
père, mais Toto avait survécu. Cependant, la
question de savoir si un livre pouvait tuer s'était
mise à l'obséder et il avait abordé ce thème dans
les deux romans suivants. Puis, alors qu'il ignorait
encore que la maison de Saint-Malo avait été
saisie, il avait reçu une énième lettre de Frédéric
dont le post-scriptum lui avait glacé le sang : « Il
me paraît honnête de t'informer que nous savons
depuis quelques jours que notre mère sera opérée
d'un cancer la semaine prochaine ». Le procédé
l'avait d'abord exaspéré, vingt-deux pages de
leçons de morale et d'insultes, déjà lues cent fois,
pour justifier la seule information qu'il voulait
balancer à la gueule de Paul, finement glissée dans
ce post-scriptum laconique. L'objectif était évidemment de lui faire porter la responsabilité de ce
cancer, mais l'air de rien, n'est-ce pas, sans formuler l'accusation – « Il me paraît honnête de t'informer... », ah, le faux dévot. « Quel sale con ! »,
s'était écrié Paul, tout en commençant à mettre sa

lettre en pièces. Mais le coup avait bien fonctionné et jusqu'à cet instant où Christine venait d'établir un lien de cause à effet entre la perte de la maison de Saint-Malo et le cancer de leur mère, il avait vécu avec la culpabilité confuse d'avoir tué leur mère.

Il lève les yeux et s'aperçoit que les plats sont aux trois quarts vides tandis qu'ici et là on échange des impressions entre voisins de table et que Nicolas s'amuse d'un truc que lui raconte Maxime. Et tiens, Jasmine et Francky ont disparu, sans doute pour aller jouer dans le jardin, devant – Paul ne s'en était même pas rendu compte.

— Bon, et si on passait au fromage ! lance-t-il joyeusement en se levant. Anna et Coline, vous me donnez un coup de main ?

Mais alors qu'Anna est déjà debout, Sylvain, le fils de Ludovic, que l'on n'a pas entendu depuis le début du repas, tend le bras, comme pour la retenir.

— On peut dire qu'il y a eu de l'orage autour de la table, remarque-t-il, parlant lentement, choisissant ses mots. Toi, Anna, j'ai bien vu que tu étais en colère, et toi aussi, David. Et même Anne-Cécile et Agnès. Et même… Et même Béatrice. Anna et Béatrice, elles avaient plutôt envie de pleurer, je crois. Mais une fois la colère passée, on peut se dire qu'on s'aime. C'est mon père qui répète souvent ça. Ludovic. Je l'ai appris de lui. Une fois la colère passée, on peut se dire qu'on s'aime.

Et comme il s'interrompt abruptement, Coline, qui ne l'a pas quitté des yeux, se lève et vient se placer derrière sa chaise pour l'enlacer.

— Ah oui, dit-elle, ça c'est vrai ! Moi, Sylvain, je suis d'accord avec ton père.

Alors elle se penche sur lui et lui glisse quelques mots à l'oreille.

Ludovic sourit à son fils.

— Sylvain a du mal quand il sent trop de tension, dit-il.

— On savait que ce serait compliqué, hein, Sylvain ? intervient alors Nicolas. On se l'était dit dans la voiture. Eh bien tu vois, finalement, on a réussi à se parler.

Observant Sylvain, debout auprès d'Anna, Paul pense de nouveau au Rilke des *Cahiers de Malte*. Au Rilke douloureux dont Stefan Zweig écrivait : « Des âmes aussi totalement consacrées à l'art lyrique seront-elles possibles à notre époque, avec les conditions nouvelles de notre existence, qui arrachent les hommes à tout recueillement et les jettent hors d'eux-mêmes dans une fureur meurtrière, comme un incendie de forêt chasse les animaux de leurs profondes retraites ? »

Sylvain, qui trouve la paix devant son piano, songe Paul, aurait pu écrire ce passage des *Cahiers de Malte* qu'il a recopié dans un de ses carnets : « J'étais écrasé par moi-même, et j'attendais l'instant où l'on me commanderait de ranger de nouveau tout cela en moi, soigneusement et dans l'ordre. Je commençais, mais cela grandissait dans mes mains, se raidissait ; il y en avait trop. Alors la colère s'emparait de moi et j'enfouissais tout pêle-mêle, et le comprimais ; mais je ne pouvais pas me refermer par-dessus. Et je criais alors, à moitié ouvert, je criais et criais. Et quand je commençais à regarder hors de moi-même, ils étaient depuis longtemps debout autour de mon lit et me tenaient les mains, et une bougie était là, et leurs grandes ombres remuaient derrière eux. Et mon père m'ordonna de dire ce qu'il y avait. C'était un ordre amical, donné à mi-voix, mais c'était un ordre quand même. Et il s'impatientait parce que je ne répondais pas. »

L'impossibilité d'enfouir tout ce qui nous constitue, l'impossibilité de nous « refermer par-dessus » tant nous en avons entassé pêle-mêle, est à l'origine de la musique à laquelle se voue Sylvain, du puissant travail de Nicolas sur l'expression du chaos sous l'ordre apparent des choses, ou encore de la nécessité d'écrire pour Paul. Comment ceux qui se taisent parviennent-ils à supporter l'inexorable débit de ce qui nourrit notre discours intérieur ? Avant qu'il soit en mesure d'écrire, la souffrance était telle que le jeune Rainer Maria Rilke se mettait à hurler tandis qu'autour de lui les adultes accouraient et le suppliaient de parler. Mais comment trouver les mots pour exprimer la profondeur de son désarroi ? Eux sont maintenant nombreux autour de Sylvain, debout, tout à fait comme dans la scène du livre de Rilke, car Nicolas, Maxime et Basile se sont approchés sous le prétexte d'aider Paul à desservir les assiettes sales et à en disposer de nouvelles pour le fromage et le dessert. Ils sont accourus pour signifier à Sylvain qu'il n'est pas le seul à se sentir par moments écrasé par tout ce qui le traverse. Comme Coline demeure penchée sur lui, amicale et tendre, lui caressant la joue et lui murmurant à l'oreille, Paul aimerait leur lire à haute voix les deux premières phrases des *Cahiers*, qui expriment si bien notre perplexité à l'instant où nous ouvrons les yeux sur le monde : « C'est donc ici que les gens viennent pour vivre ? Je serais plutôt tenté de croire que l'on meurt ici. » « Vous n'avez rien trouvé de plus enthousiasmant ? s'étonnerait Curtis s'il prenait à Paul l'envie de lui rapporter la scène. Je connais votre affection pour Rilke, mais ce n'est pas précisément un boute-en-train, n'est-ce pas ? »

Assis de l'autre côté de la table, exactement en face de son fils, Ludovic, lui, n'a pas bougé.

— Nous sommes en plein chantier, Sylvain, et je pense que nous n'en avons pas fini avec la colère, lui explique-t-il tranquillement. Mais que nous ayons tous répondu à l'invitation de Paul, à l'exception de Frédéric, c'est déjà dire combien nous nous aimons. Ne sois pas inquiet, il y a de l'orage, oui, nous le ressentons tous comme toi, mais il n'y aura plus de ruptures entre nous, je te le promets.

Alors Sylvain se lève, le groupe s'écarte pour le laisser passer et il disparaît en direction du jardin, agité, se tenant le front.

Quand il est de retour, la table est de nouveau dressée d'assiettes propres et ceux qui ont fait le service s'apprêtent à se rasseoir.

— Tout ce que tu m'as dit, Coline, je ne l'oublierai jamais, assure-t-il. Sylvain, ton cousin préféré qui ne t'oubliera pas... Et maintenant... et maintenant je vais dormir un peu.

— Oui, dit Paul, va dans ma chambre, c'est là que tu seras le plus tranquille.

On fait tourner le plateau de fromages et Ludovic remplit les verres de vin.

— Claire, dit alors Christine, se penchant vers elle avec un sourire, tu es la seule à n'avoir pratiquement rien dit...

— Parce que je n'ai rien à dire, en fait, commence-t-elle, légèrement empourprée. J'ai grandi sans vous, je ne vous connais pas, et soudain vous débarquez dans nos vies. Moi, au contraire d'Anna, vous ne m'avez pas manqué, je ne vous ai pas cherchés. Je pense que j'ai toujours su que vous existiez, mais comme des ombres menaçantes derrière l'écran lumineux où se jouait ma vie. Enfin, lumineux, c'est juste une image, hein, je ne suis pas en train de dire que mon enfance a été particulièrement lumineuse, ni heureuse... Aujourd'hui, bien sûr, vous ne représentez plus un danger, j'ai un mari qui m'aime et que j'aime, nous avons deux enfants, j'ai des cousins du côté de maman, nous avons beaucoup d'amis, mais vous restez gravés dans ma mémoire comme des personnes qui nous ont voulu du mal. Alors qu'on ne vous a rien fait. Papa, peut-être. Mais David et moi, Anna et Coline, on ne vous a rien fait.

Elle est émue et surprise de se découvrir vindicative. Paul est pratiquement certain que les mots lui ont échappé, qu'elle a été prise de court. Claire si gentille, si attentive toujours à ne blesser personne. De ses quatre enfants, elle est celle qui lui est apparue la moins concernée par le retour de ses frères et sœurs, bardée de ses enfants, de son mari charmant, de leurs amis, de son métier.

— Oh, bien sûr que non ! s'exclame Christine. Bien sûr que non ! Vous êtes tous les quatre absolument innocents...

— C'est très dur ce que tu viens de dire, constate Ludovic.

Nicolas lui-même en reste sans voix.

— Pardon, reprend Claire, je ne voulais pas plomber le déjeuner. Il faut que vous compreniez que pour moi ce n'est pas facile de faire coller l'image que vous nous donnez de vous aujourd'hui, des oncles et tantes pleins d'attentions et désireux de nous connaître, avec celle que je me suis construite de vous au fil des années. Tout est arrivé en même temps, l'automne de mes trois ans : papa a publié son livre, mes parents se sont séparés, vous tous avez disparu de nos vies, en même temps que nos grands-parents et la maison de Saint-Malo. Je n'ai aucun souvenir conscient du moment où toutes ces ruptures sont intervenues dans ma vie, c'est par la suite que chacune s'est matérialisée et a pris une place dans la chronologie des événements. J'ai des photos de moi à Saint-Malo, le dernier été, mais je n'ai pas de souvenirs de Saint-Malo, au contraire de David. Si j'ai dit que vous m'apparaissiez comme des ombres menaçantes, c'est que vous êtes liés dans ma mémoire à cet effondrement originel. Vous en êtes les acteurs, parmi d'autres, dont papa, bien sûr. Mes premiers souvenirs conscients se construisent sur les ruines de l'« l'après-guerre », comme dit David : maman vit avec Markus dans la nouvelle maison de Fontenay, papa nous prend le week-end dans son studio sur l'île Saint-Louis, il m'achète mon premier vélo, et un jour il nous présente Esther au Jardin des Plantes. Je ne peux pas dire comme David que j'ai souffert, puisque je ne me souviens de rien, mais j'ai dû souffrir, si, puisqu'à la moindre dispute idiote avec mon mari je tremble à la pensée que nous allons divorcer, que tout est foutu, comme si l'effondrement était une fatalité à laquelle je ne pouvais pas échapper, en dépit de tout l'amour que je porte à Philippe.

Elle feint d'en rire, mais elle est bien la seule.

— Au fond de toi, Claire, qu'est-ce que tu crois ? l'interroge Basile. Que si Paul n'avait pas publié son livre, tes parents seraient toujours ensemble ? Que rien n'aurait bougé dans votre vie ?

— Je ne sais pas. Peut-être, oui. Maman est là, mais je ne pense pas qu'elle va vouloir répondre à cette question, surtout en présence de papa. Ce qui

est sûr, c'est que le livre de papa a été le déclencheur, ou la goutte d'eau de trop... Bon, mais ça
c'est leur histoire, ça ne me regarde pas.

— Tu l'as lu, ce livre ?

— Ah non ! Sûrement pas ! Je n'ai lu aucun des
livres de papa. C'est bien suffisant d'en subir les
conséquences...

— Pauvre papa, dit doucement Coline.

Alors Claire, éclatant de rire :

— Coline ! C'est pas toi qui m'as dit l'autre
jour que si tu le pouvais tu changerais de nom ?

— Ben oui, c'est vrai. Mais quand même c'est
pas drôle pour papa.

Maintenant ils sont plusieurs à sourire autour de
la table.

— Mais aucun de vous quatre ne lit les livres
de Paul ? s'enquiert prudemment Ludovic.

— Si, dit Anna, moi j'en ai lu certains.

Tous les visages se tournent vers elle. Chacun
semble attendre ce qui va suivre, sans oser le
demander. Mais Anna se tait, soutenant les regards
des uns et des autres.

— Et alors ? lance Claire malicieusement.

— C'est son travail d'écrire, ce n'est pas une
chose qui se discute, réplique-t-elle.

— Alors tu ne veux pas nous dire ce que tu
en penses ?

— J'ai écrit à papa que je trouvais bien son
dernier livre. D'ailleurs, je l'ai prêté autour de moi.
Il y en a que je n'ai pas voulu lire, ou que maman
m'a demandé de ne pas lire.

— D'accord, dit Claire.

Après ça, personne n'ose plus relancer le débat, et d'ailleurs Anna s'est remise à manger tranquillement. Paul se souvient d'une conversation avec elle, sept ou huit ans plus tôt, alors que venait de paraître son roman sur son histoire d'amour avec Esther, et sa fin désastreuse. « Tu sais, papa, si tu continues, lui avait-elle dit, il ne faudra pas que tu t'étonnes si on ne te voit plus. » Il avait encaissé, n'avait pas trouvé la force de répondre. Si maintenant le prix à payer pour continuer d'écrire était de perdre ses enfants, le payerait-il ? Pendant des semaines la question l'avait tourmenté. Puis il était parti pour l'Allemagne du Nord écrire le livre qu'il avait en tête, et quand celui-ci était sorti, Anna n'avait fait aucun commentaire. Ni pour les suivants, jusqu'à cette réflexion étonnante : « C'est son travail d'écrire, ce n'est pas une chose qui se discute. » À quel moment l'avait-elle admis ? Comprenait-elle l'enjeu de l'écriture pour Paul, ou avait-elle seulement décidé de tolérer la « chose » pour continuer à voir son père ?

— Pour revenir à toi, Claire, dit Maxime, tu t'es efforcée de nous oublier pour te construire une vie sans nous – et ça, c'est bien notre faute. Mais plus radicalement, il me semble que tu ne veux rien avoir à faire avec notre famille de cinglés, c'est ce que j'entends dans le rejet que tu exprimes à l'égard des livres de ton père.

— Oui, voilà, les livres de papa sont peut-être très bien, mais ce qui s'est passé chez vous quand vous étiez enfants, puis plus tard, toute cette folie, je ne veux pas y mettre le doigt. Depuis que je suis petite je vois papa écrire là-dessus, vivre dans le drame, votre drame qui n'en finit jamais, qui continue aujourd'hui encore, et moi ça ne me fait pas envie du tout.

— Tu ne partages pas le désir de David de racheter la maison de Saint-Malo, par exemple ?

— Ah non, sûrement pas ! Pour David, Saint-Malo est le paradis perdu, mais pour moi c'est juste un nom associé à la colère de maman contre papa. Papa qui nous a brouillés avec tout le monde avec ses livres, papa qui n'en finira jamais de régler ses comptes avec la société, et cætera, et cætera. Maman aimait beaucoup Saint-Malo, et même votre mère elle l'aimait bien... N'est-ce pas, maman ?

— Je n'ai pas envie de reparler de tout ça.

— Mais tu en as beaucoup voulu à papa de t'avoir coupée de sa famille, ça, au moins, tu peux le reconnaître. D'ailleurs, tu n'as jamais cessé de voir Adèle, et même Frédéric qui déteste papa.

— Laisse tomber, Claire, intervient David, rappelle-toi l'histoire de la voiture que je t'ai racontée : maman aimerait bien profiter du paysage, assise à l'avant avec ses Ray-Ban sur le nez, mais papa préfère passer son temps sous le capot à se demander comment ça marche. D'un certain point de vue ils se complètent, remarque, mais d'un autre ils vont forcément finir par se mettre sur la gueule.

Et David s'esclaffe en regardant alternativement son père et sa mère.

David a des façons de voyou, parfois, dont il joue habilement, soit pour faire peur, soit pour dévier la conversation. Personne ne s'y attendait autour de la table et, sous les sourires timides, Paul devine chez certains une forme d'effarement. Anna les soupçonnait un peu plus tôt d'avoir transmis à leurs enfants les valeurs de la bourgeoisie, justifiant ainsi qu'elle ne se sentait pas de leur monde, eh bien David vient de leur en donner une illustration – ils doivent penser qu'il est très mal élevé, songe Paul, que mes enfants en général sont affreusement mal élevés.

— C'est pas mal vu, dit-il à son fils, mais je veux juste corriger un détail : Agnès et moi ne nous sommes jamais mis sur la gueule, pour reprendre ton expression.

— Je sais, papa, je sais... Je plaisantais. J'aime bien me foutre un peu de vous.

Christine semble se demander quel garçon est donc David, tandis qu'Adèle, qui s'est occupée de lui quand il était en froid avec son père, s'amuse visiblement. Une seule fois, Paul a été sur le point de commettre une violence à l'égard Agnès. Il était autour de vingt et une heures, ils venaient de coucher les enfants, c'était au milieu de l'automne, leur dernier automne et, comme tous les soirs, elle partait rejoindre Markus. « Bon, je te laisse, avait-elle dit, enfilant prestement son manteau. Si Claire se remet à tousser, le sirop... — Reste, s'il te plaît.

Ce soir je ne vais pas supporter de rester seul. — Paul... — Demain ça ira mieux, j'en suis sûr. C'est juste ce soir. Agnès, s'il te plaît. » Il s'était adossé à la porte donnant sur le jardin. « Laisse-moi sortir. — Prends-moi dans tes bras, s'il te plaît. Juste une minute. » Elle avait bien voulu, mais comme on enlace un poteau télégraphique, encombrée de son sac à main, des clés de la voiture, prenant bien garde à ne pas effleurer son visage de ses lèvres. « C'est trop dur, avait-il murmuré, comment peut-on s'imposer ça ? — On ne va pas recommencer, Paul. Maintenant ça suffit, laisse-moi sortir ! » Elle l'avait poussé sur le côté et il n'avait eu aucune réaction. Plus tard, il s'en était voulu de ne pas avoir balancé toutes ses affaires dans le jardin en la priant de ne plus jamais remettre les pieds chez eux. Il s'en était voulu, comme il en voulait à Toto, enfant, de se laisser lacérer le visage par les ongles de leur mère sans jamais se défendre. Il avait envié les hommes capables de riposter.

— Mais tu sais, Claire, s'écrie subitement Nicolas, agitant un bras dans sa direction, moi je partage ce que tu viens de dire. Au contraire de Paul, qui a construit tout son travail autour de notre famille, de sa folie et de son drame permanent – tu me corrigeras, Paul, si je dis une bêtise ? –, moi ce n'est pas la nostalgie qui fait que je suis ici aujourd'hui, mais seulement le désir de renouer avec Paul. Qu'il soit mon frère, je m'en fous complètement, ce qui compte à mes yeux c'est que nous avons été des amis, des amis que je pensais inséparables, et qu'aujourd'hui je sens la nécessité de reconstruire cette amitié avant que nous soyons trop vieux pour le faire. Le paradoxe, Claire, c'est que c'est cette famille, avec son esprit de clan, qui m'a coupé de lui pendant trente ans et a ruiné notre amitié. Au nom de l'« esprit de famille », cette valeur de merde, je me suis laissé entraîner et je n'ai plus vu Paul. Notre qualité de frères l'a emporté sur notre amitié, alors que ç'aurait dû être le contraire. Je n'aurais jamais dû lâcher Paul, sous aucun prétexte, et surtout pas au nom d'une quelconque solidarité familiale. Il est là, le vrai scandale ! Je te le dis aussi crûment pour que tu entendes bien combien je me défie de notre famille. Tout comme toi, Claire, tout comme toi.

Le rire de Maxime ! Plus Nicolas avançait dans sa démonstration, plus Maxime riait. Tandis que tous les autres l'écoutaient en sourcillant, l'air de se demander où il voulait en venir.

— Tu sais combien je tiens à toi, Nicolas, dit Paul, empêchant Claire de répondre, combien je suis heureux de t'avoir retrouvé, je te l'ai écrit, d'ailleurs, et cependant je suis à l'opposé de ce que tu viens de dire. Moi, je vous aime passionnément parce que vous êtes mes frères et sœurs, et non pas mes amis, du fait de ce lien que rien ne peut remettre en cause. Je me souviens d'une phrase de Maurice Pialat : « L'amitié, c'est d'abord être lâche : il faut fermer sa gueule sans cesse. » Je suis d'accord, j'ai eu quelques amis et je les ai tous perdus, à part Curtis, mon éditeur. Tandis que vous, quoi qu'il arrive, je ne peux pas vous perdre. Je vous aime passionnément, tous, et même Frédéric en dépit de sa connerie, parce que nous avons été les compagnons du même roman familial, impénétrable, irréductible, et que je suis fait de vous, encombré de vous, que je le veuille ou non. Pendant toutes ces années, je n'ai pas cessé un seul jour de penser à vous, de vous aimer – on ne se voyait plus, mais vous étiez là, entre mes lignes, dans toutes mes pages, si présents qu'il m'arrivait de pleurer, sans cesser d'écrire, en me remémorant la mort annoncée d'Adèle, Béatrice à l'abandon, rampant toute seule dans la poussière avec sa couche-culotte, ou Basile le jour où il s'est fracassé le visage sur le bidet en basculant de sa chaise de bébé. En fait, je n'arrive pas à comprendre comment vous avez pu vous remettre de notre enfance.

Paul s'interrompt. Il est surpris et ému par cette dernière phrase qu'il n'attendait pas. Elle résume à ses yeux toute la différence qui existe, non pas seulement entre Nicolas et lui, mais entre *eux* et lui. Comment ont-ils pu, tous, construire leur vie d'adulte sans retourner fouiller leur enfance comme il l'a fait, et continue de le faire ?

— Mais Paul, dit Christine avec un sourire énigmatique, il faut bien avancer ! La souffrance est là, mais on fait avec.

— Vous n'éprouvez pas le besoin de redonner vie à chaque scène pour la comprendre ? Comment faites-vous quand la peur ressurgit si vous ne l'écrivez pas ? Comment faites-vous ? Où la rangez-vous ? Moi, je deviendrais fou si je n'écrivais pas tous les jours.

— Toutes ces scènes sont en nous, intervient doucement Adèle, comme elles sont en toi. D'ailleurs, si elles ne l'étaient pas, nous n'aurions pas eu de conflits autour de ton premier livre, comme autour des suivants. On ne te voyait plus, donc tu ne l'as pas su, mais certains de tes autres livres nous ont fait également du mal.

— Adèle a raison, dit Ludovic, à part peut-être Nicolas, que la famille n'intéresse pas, nous sommes tous habités du désastre qu'a été notre enfance. Mais nous n'écrivons pas, ce qui peut te donner le sentiment trompeur que nous nous en sommes remis.

— Notre erreur, observe Basile, ç'a été de te reprocher de t'être accaparé l'histoire familiale, sans comprendre que c'était ton droit. Elle appartient à chacun d'entre nous, cette histoire, et chacun doit pouvoir en faire une œuvre s'il le souhaite. C'est ce que tu as fait. Te le reprocher revenait à te reprocher d'écrire sur ta propre enfance. Tu n'avais pas d'autre choix que d'entrer en conflit avec nous. Mais nous avons mis près de trente ans à le comprendre.

— Parce que nous n'aurions pas dû parler d'« histoire familiale », Basile, reprend Adèle, mais admettre que les livres de Paul rendaient compte de *son* histoire, et non de la nôtre. Aucun de nous n'a eu la même, même si nous avions les mêmes parents. Paul a pu juger bénin un événement qui a poussé Ludovic à vouloir mourir, ou ignorer en grande partie ce que nous, les « petits », avons vécu, puisqu'il avait quitté la maison depuis longtemps. Si nous avions renoncé au concept d'« histoire familiale », nous aurions moins souffert et pu tolérer que Paul écrive sur notre famille. Si chacun d'entre nous était écrivain, il ne songerait pas à reprocher aux neuf autres d'écrire et nous aurions aujourd'hui dix romans différents.

— Oui, dit Paul, autant de romans qu'il y a de frères et sœurs. Non seulement parce que nous n'avions pas le même âge devant le même événement, mais aussi parce que nous n'en aurions pas eu la même lecture, quand bien même nous aurions eu le même âge. Nous sommes dix êtres différents, doués chacun d'une sensibilité différente. Au moment où nous écrivons, ce n'est pas la vérité factuelle que nous cherchons à établir, mais à restituer l'effet qu'a produit sur nous tel ou tel événement – parce que cet effet continue d'opérer à chaque instant dans notre vie d'adulte. À chaque instant.

Il ne veut pas le dire tout haut, c'est trop intime, mais il se rappelle le moment où il s'est mis à trembler devant Esther, comme il tremblait devant sa mère à dix ans. Au point de ne plus pouvoir l'approcher, au point de courir se réfugier à l'hôtel.

C'était une période où il n'arrivait plus à écrire – et, en effet, il était en train de devenir fou. Sans l'écriture, il perdait complètement les pédales. Esther avait aimé l'écrivain, elle avait très vite éprouvé du dégoût pour son ombre flageolante et voulu l'effacer de sa vie. En quelques semaines seulement, Paul s'était vu rétrécir, puis mourir dans son regard – mon Dieu, qu'il ne m'entraîne pas dans sa chute, songeait-elle, il aurait fallu être sourd pour ne pas l'entendre. Alors elle s'était assurée que son amant prendrait bien le relais, qu'elle n'aurait pas à connaître la solitude, et elle avait précipité les choses pour sauver sa peau, jusqu'à dire à Paul qu'elle regrettait d'avoir eu des enfants avec lui. Ici, à Gardel, dans leur chambre, un après-midi d'août. Dans l'instant, en une phrase, elle avait anéanti près de vingt années partagées et fait d'eux des ennemis irréconciliables. Jamais il ne lui pardonnerait d'avoir pu énoncer une telle abjection.

— D'ailleurs, Paul, à propos de « vérité factuelle », observe Adèle, tu te trompes complètement sur la place qu'a tenue Catherine dans la vie de papa. Tu écris dans un livre que quand elle est tombée malade il ne s'est pas occupé d'elle et qu'un jour il t'a annoncé sa mort, entre la poire et le fromage, avec l'air de s'en foutre. Tu l'as sans doute ressenti comme ça, mais c'est faux. Jusqu'à la fin, il est allé la voir chaque jour. C'est un détail, mais ça montre bien que chacun a son propre récit.

— Ah oui, Catherine, il l'a vraiment aimée, confirme Basile. Vous, les grands, vous vous étiez déjà barrés, mais nous on a vu, putain. Toto, il était vraiment accro. Il racontait à la baronne qu'il nous emmenait visiter les musées, le dimanche matin, et on allait chez Catherine. Il nous foutait devant la télé et pendant ce temps-là il la sautait derrière la cloison.

— Les dimanches matin culturels des Dunoyer de Pranassac ! lâche Maxime en rigolant. Et la baronne, ça ne l'a pas étonnée, cet engouement soudain pour les musées, hein, c'est ça le plus marrant.

— On rentrait pour le déjeuner, reprend Adèle, elle nous posait des questions sur ce qu'on avait vu, si ça nous avait plu, et on lui racontait n'importe quoi. Tu te souviens, Béatrice ?

— Elle était méchante et tout ce qu'on veut, mais moi quand même elle me faisait pitié, dit Béatrice. Elle avait préparé le repas toute seule, mis la table, et nous on se moquait d'elle pour protéger papa.

— Mon Dieu ! soupire Christine.

— Je ne sais pas combien d'années ça a duré, deux ou trois peut-être, poursuit Adèle. Catherine nous expliquait qu'un jour on habiterait chez elle, et nous, on en rêvait. C'était une très belle femme, certainement intelligente et cultivée, et l'appartement était magnifique. Si elle le disait, c'est qu'ils devaient en parler, papa et elle, et qu'il avait bien l'intention de plaquer la baronne.

C'est en tout cas le conseil que lui avait donné
Paul – « Depuis le temps qu'elle te fait chier, papa,
tire-toi. » Toto était passé un matin prendre son
avis, déjà rhabillé par Catherine, l'air d'un ban-
quier d'affaires avec son costume croisé et sa
cravate jaune en soie, méconnaissable. « Oui, tu
crois ? — Tu as bien le droit de vivre, merde !
— C'est vrai qu'elle n'a pas toujours été marrante,
hein ? — Je suis bien placé pour le savoir. — Mon
pauvre vieux... Il est certain que sans vous, les
quatre aînés, je n'aurais pas tenu. — Tire-toi,
papa ! » Il avait rencontré Catherine quelques mois
seulement après le départ de Nicolas et Paul. Il se
débattait pour ne pas couler, songe Paul avec le
recul des années, et cette femme était apparue
juste au bon moment. Ou il l'avait fait apparaître.
C'est parfois comme ça dans la vie, on confond la
nécessité de sauver sa peau avec un élan du cœur.
Et maintenant il ne savait plus et il demandait à
Paul de décider pour lui. Il s'était tiré, abandonnant
sa femme et les six enfants restants (non, se corrige
Paul, cinq seulement – Ludovic, Béatrice, Adèle,
Maxime et Basile – Anne-Cécile a dû se marier
juste à temps, il aimerait en avoir le cœur net mais
il n'ose pas l'interrompre alors qu'elle échange
quelques mots avec Ludovic). La baronne l'avait
appelé au secours, lui, Paul (mais pourquoi moi ?
où était Frédéric ? ah oui, à l'armée, bien sûr, le
seul à avoir fait son service militaire) et il avait
eu honte de son conseil de crétin : elle était sans
argent, cadavérique, elle allait mourir de chagrin

et les petits de faim. Quand Toto était-il revenu ? Paul n'aurait pas su le dire, lui venait de rencontrer Agnès et il avait autre chose à penser. Mais donc son père n'avait pas cessé pour autant de voir Catherine, et il avait mené cette double vie jusqu'à la mort de cette femme inespérée.

— Finalement, dit-il, s'adressant à Adèle, je me demande si notre enfance, à nous les aînés, n'a pas été meilleure que la vôtre.

— Ah, moi je suis certaine qu'elle l'a été ! tranche vivement Christine. Nous, les aînés, nous avons connu l'expulsion et tous les désastres qui l'ont suivie, mais papa tenait la barre. Jamais il ne nous aurait abandonnés comme il a abandonné les petits. Et je vais te dire une chose : en dépit de toutes les tuiles qui nous tombaient sur la tête, nos parents s'aimaient. Ça, j'en suis certaine ! D'ailleurs, c'est en plein naufrage qu'ont été conçus Maxime et Basile.

— En dépit des apparences, Paul, nous sommes des enfants de l'amour, observe Maxime, se foutant ouvertement de Christine.

— Ça te fait peut-être rire, mais c'est la vérité, poursuit-elle.

— Je suis d'accord, dit Paul, nous, nous avons eu un père. Il était harcelé par tous ces connards d'huissiers, mais il résistait. « On s'en sortira, mon p'tit vieux, fais-moi confiance », tu te souviens, Nicolas ? Tout se barrait en couille, on nous avait coupé le gaz et l'électricité, on n'allait plus à l'école, la baronne menaçait de se balancer par la fenêtre, mais lui continuait d'y croire. Et de sauter sa femme ! Pardon, Christine. Pardon, excuse-moi. C'est drôle parce que devant toi il y a des choses, enfin des mots, qu'on ne s'autorise pas. Vous êtes d'accord, hein ? lance-t-il à ses frères : Christine est au-dessus de la plèbe. Enfin, moi, je te vois comme ça, Christine. Maman nous terrorisait, quand on l'entendait venir on se planquait, tandis que toi tu n'avais qu'à parler et on t'écoutait. C'est toi qui me lavais les cheveux, tu te rappelles ? – « Regarde la couleur de l'eau, Paul ! Quel cochon ! Mais quel cochon !» On ne se sentait pas perdus parce qu'on avait quelqu'un à qui obéir.

— Parce que Christine t'aimait bien, dit Nicolas. Mais moi elle m'avait dans le pif et c'était moins marrant, mon p'tit gars.

— C'est vrai que tu m'énervais, Nicolas, reconnaît Christine en riant. Je ne sais pas pourquoi, c'était complètement irrationnel.

— On s'en fout, on s'en fout, c'était juste pour corriger la version idyllique de Paul.

— Oui, moi je collais à Christine, reprend Paul. Et à Frédéric aussi. Tant qu'ils étaient là, la vie ressemblait encore à quelque chose.

La conversation s'interrompt parce que Claire rappelle Jasmine et Franck pour le dessert. Ludovic a entrepris de couper des parts de tarte et tous le regardent faire distraitement. On les avait relogés dans deux petits HLM sur le même palier, et certains soirs, en rentrant de sa tournée (à cette

époque il plaçait des éponges de ménage en porte-
à-porte), Toto apparaissait dans l'appartement des
aînés pour s'entretenir avec Christine et Frédéric.
La pièce de séjour était remplie jusqu'au plafond
des meubles de Neuilly recouverts d'immenses
draps blancs pour les protéger de la poussière,
laissant quelques recoins habitables, dont l'un était
occupé par le lit de Paul et un autre par un bureau
de fortune que s'était aménagé Frédéric – c'était
là qu'ils se réunissaient tous les trois, autour d'une
bougie posée sur la table de Frédéric. Paul était
rassuré de les entendre chuchoter depuis son lit,
occupés à décider de l'avenir. Il ne pouvait pas
compter sur sa mère, mais il aimait Toto plus que
tout et avait une confiance absolue en Christine et
Frédéric. Une seule fois, il s'était trouvé dans une
position embarrassante quand il avait été question
de passer des bijoux en Belgique pour le compte
d'un homme qui avait promis de les sortir du
« pétrin ». Toto et Frédéric réglaient ensemble les
détails : on partirait un samedi matin et on emmè-
nerait leur chère grand-mère, qui viendrait tout
exprès de Bordeaux, pour ne pas éveiller les
soupçons des douaniers. Mais pourquoi Christine
devait-elle être tenue à l'écart de l'opération ?
Flairant le danger, Paul était allé la mettre au
courant et Christine avait tout fait capoter dans
le quart d'heure. Il l'avait entendue traiter Toto
d'« irresponsable ».
   — Paul, abricots ou prunes ?
   — Ah pardon... prunes.

— Pourquoi tu te marres ?

— Rien, rien, je repensais à un truc... Mais dis-moi, Adèle, quand papa a rencontré Catherine, combien de temps vous êtes restés seuls avec maman ? Je me rappelle être passé la voir, le frigo était vide, l'appartement ne ressemblait plus à rien, c'était un spectacle ahurissant, mais je n'ai aucun souvenir de vous avoir croisés à ce moment-là.

— Parce qu'on était chez Christine, dit tout bas Béatrice. Quand papa est parti, Christine nous a pris chez elle.

— Maman n'avait plus la force, ajoute Christine. C'était une femme dévastée, au bord du suicide. Elle n'avait aimé que notre père et elle se retrouvait à cinquante ans sans un sou, sans métier, avec cinq enfants dont le plus jeune, Basile, avait à peine dix ans. J'ai eu vraiment peur pour elle à ce moment-là. Par bonheur, elle a été invitée par une de ses tantes, religieuse à Oslo, à venir se reposer dans son couvent et elle est partie.

— Christine est venue nous chercher, poursuit Béatrice à l'intention de Paul, on a pris nos affaires d'école et nos habits et elle nous a emmenés chez elle, dans sa voiture.

Elle s'interrompt, mais aucun ne vient troubler le silence parce que la voix de Béatrice semble trop fragile pour être recouverte.

— Tu sais, Christine, reprend-elle, j'en avais rêvé d'habiter chez vous... Je venais garder vos enfants, certains soirs, et j'aurais voulu rester. Tu ne peux pas savoir... J'ai dû espérer chaque fois que tu me le proposes. Et d'un seul coup ça y était, on allait habiter chez toi. C'était comme d'avoir couru des journées entières dans le froid, sous la pluie, et d'entrer dans une maison lumineuse et bien chauffée où tout le monde était heureux de nous voir arriver. Plus de cris, plus jamais aucune menace, Emmanuel m'intimidait mais il me rassurait aussi.

Pourquoi Emmanuel et Christine ne s'étaient-ils pas enfuis après leur mariage ? C'est incompréhensible aux yeux de Paul. Au lieu de ça, ils s'étaient installés dans un bel appartement, à huit cents mètres seulement de la cité des parents. Pour continuer à veiller sur nous ? Paul avait seize ans l'année de leur mariage, et le dernier, Basile, seulement cinq ans. Ou par hasard ? Par inconscience ? Plus tard, après que Toto était venu à plusieurs reprises taper du fric à Emmanuel, ils partiraient à l'autre bout de la France, oui, mais pendant près de dix ans ils avaient habité là, à portée du cyclone. Christine attendait leur deuxième enfant quand ils avaient recueilli Paul après un monumental carambolage sur la route, le crâne fracassé. C'était quand cet accident ? Peut-être deux ou trois ans avant qu'ils recueillent les petits. Paul avait passé toute une saison chez eux, titubant, en proie à une migraine qui par moments le faisait vomir. L'année de ses dix ans, Christine avait été sa maman, l'été de ses quinze ans il ne l'avait pas quittée d'une semelle et il s'était découvert amoureux d'elle, il aurait voulu s'enfuir avec elle,

qu'elle le choisisse, qu'elle soit à la fois sa mère
et sa femme, et l'année de ses dix-huit ans elle
avait été sa bienfaitrice, vidant ses cuvettes de
vomi et lui collant des compresses froides sur le
front. Quand les petits avaient débarqué chez eux,
Emmanuel et Christine avaient trois enfants, ce qui
les avait placés du jour au lendemain à la tête
d'une famille de huit, ou de sept – Ludovic avait-
il suivi les quatre derniers ou avait-il été placé ailleurs ? Paul ne sait pas : découvrant l'amour dans
les bras d'Agnès, il les avait complètement abandonnés.

    — Oui, dit Adèle, chez toi, Christine, personne
ne criait, c'est ça qui m'a le plus surpris au début.
Et quand tu décrochais le téléphone on t'entendait
parler calmement, et rire presque chaque fois, alors
qu'à la maison, quand le téléphone sonnait, on
avait le cœur qui s'arrêtait. Tu te souviens, Béatrice ? Le crissement des babouches de maman sur
le sol pendant la sonnerie stridente, l'appareil était
dans le couloir, tout l'appartement en tremblait, et
brusquement il y avait un silence. « Allô ? Oui…
Mon mari n'est pas là. Mais qui êtes-vous, mon-
sieur ? Qui êtes-vous ? Oh mon Dieu, le salaud ! Il
m'avait juré… C'est impossible ! Impossible ! Je
n'en peux plus. » Elle raccrochait, on l'entendait
encore hurler dans des sanglots : « Le salaud ! Le
salaud ! Mais qu'est-ce que j'ai fait au bon Dieu
pour mériter ça ? » Parfois elle courait s'enfermer
dans sa chambre pour pleurer, ou elle retournait

dans la cuisine qui sentait toujours l'huile de
friture ou le chou-fleur, et nous, on n'osait plus
sortir de nos chambres jusqu'au retour de papa.

Adèle est prête à pleurer, mais elle parvient à
en rire, et Ludovic, qui s'est penché pour l'écouter,
vient à son secours avec ce rire en forme de
rictus exaspéré qui semble fait pour le protéger
des larmes.

— Ah oui : « Le salaud ! Le salaud ! Mais
qu'est-ce que j'ai fait au bon Dieu pour mériter
ça ? » – celle-là, on l'a entendue ! Tu fais bien d'y
revenir, Adèle. Putain, ça nous perforait le cœur ce
truc, c'était infernal.

— On en chiait dans nos frocs, ajoute doucement Basile.

— Euh... les gros mots, observe Claire en désignant du regard Jasmine, si vous pouviez éviter...

— Pardon, Claire. Pardon, s'excuse aussitôt
Ludovic. C'est vrai que dans cette famille nous
sommes tous affreusement mal élevés.

Jasmine et Francky ont fini leur tarte et ils
regardent fixement Ludovic. Maintenant, le soleil
leur tape droit sur la tête et ils clignent douloureusement des paupières.

— Pour le café, dit Paul, je vous propose qu'on
transporte la table jusqu'au jardin, devant, comme
on l'a fait l'année dernière. Là-bas, c'est bien
ombragé, et on pourra continuer à parler tranquillement. Nicolas et Maxime, vous me filez un coup
de main ?

Subitement, tout le monde se lève, sauf Adèle qui semble un peu déboussolée et s'essuie discrètement les yeux avec sa serviette. Agnès, Christine et Basile empilent rapidement les assiettes, David disparaît vers le champ d'oliviers pour aller fumer une cigarette, Claire dans la direction opposée, vers le jardin, avec son petit Jules dans les bras, suivie par Jasmine qui a pris la main de Francky, tandis que tous les autres emportent la vaisselle sale dans la cuisine.

Quand la table est à peu près vide, ils se mettent à quatre pour l'embarquer et la déposer sur le gazon, entre le palmier et le banc Art déco. Puis on emporte les chaises et quand Paul regagne la cuisine pour préparer le café, il croise Anna et Coline, l'une et l'autre chargées d'un plateau où s'empilent tasses et soucoupes.

— Merci mes chéries, faites asseoir tout le monde, j'arrive tout de suite.

La grosse cafetière italienne, plus la petite, au cas où ça ne suffirait pas. C'est aujourd'hui qu'il découvre que Christine les a pris chez elle. Jamais il n'osera avouer qu'il a conseillé à Toto de se tirer. La tête de Christine si elle l'apprenait ! « Tu es sérieux, Paul ? Tu as vraiment fait ça ? Mais tu es complètement irresponsable ! Et qui allait s'occuper des petits et de maman ? » Elle le fusillerait sur place, comme si c'était hier. Il avait poussé Toto dans les bras de Catherine et s'était lavé les mains du sort des petits. Enfin non, il avait répondu à l'appel au secours de leur mère, promis de revenir, mais n'était jamais revenu. La découverte de l'amour avec Agnès l'avait complètement absorbé. « Putain, c'était incroyable ! », s'entendil chuchoter, seul dans la cuisine devant les pièces détachées de ses cafetières et au milieu des piles d'assiettes sales. « C'était incroyable ! Incroyable ! » Au début, ils ne prenaient même pas le temps de se déshabiller parce que Nicolas pouvait surgir d'une minute à l'autre, puis ils avaient colonisé une chambre de bonne inoccupée, au même étage, y avaient traîné le matelas de Paul, installé un verrou, et là enfin ils avaient appris à s'aimer.

— Vous êtes restés combien de temps chez Christine ? s'enquiert-il, comme il dépose les deux cafetières brûlantes sous leurs nez.

— Oh, moi, une ou deux semaines seulement, dit Béatrice. J'ai dû partir chez les Guillaumet. Tu te souviens des Guillaumet ?

— Oui, bien sûr. Lui, c'était un cousin de maman. Avec Frédéric et Nicolas on l'appelait Jean Moulin.

— Le mec, s'esclaffe Nicolas, il ne se prenait vraiment pas pour une merde.

— Quand les quelques personnes qui se souciaient encore de nos parents ont appris ce qui leur arrivait, explique Christine, ne prêtant aucune attention à Nicolas, certaines m'ont appelée. Les Guillaumet ont proposé de prendre Béatrice pour me soulager, parce qu'elle avait l'âge d'une de leurs filles, et j'ai accepté.

— C'était atroce chez eux, reprend Béatrice.
Tous les enfants avaient au moins un an d'avance
à l'école et moi j'en avais deux de retard, les
chaussettes qui tombaient en accordéon et un pull-
over troué. Le soir, quand le père rentrait du
bureau, il fallait tous accourir dans le vestibule et
se disposer pour l'accueillir par ordre de taille, sa
femme devant, puis les sept enfants, et moi tout à
fait à la fin, habillée comme un sac. Il embrassait
sa femme avec laquelle il échangeait quelques
mots pendant qu'on se tenait silencieux au garde-
à-vous, puis il embrassait chacun d'entre nous. Il
te posait la main sur l'épaule et tu devais croiser
son regard, sinon il te relevait le menton. Son
regard bleu métallique. J'aurais voulu disparaître.

François Guillaumet était entré dans la Résistance à dix-sept ans, en 1942, quand toute sa
famille, ses cousins, ses oncles et tantes, étaient
pétainistes. Quand nos parents s'étaient mariés, en
juin 1944, en plein Débarquement, sous le portrait
du Maréchal, Guillaumet, lui, se faisait parachuter
pour la sixième fois au-dessus du maquis bordelais. C'est en tout cas ce que rapporte la légende.
Par la suite, il avait fait toute sa carrière dans
l'ombre du général de Gaulle et lorsque sa femme
et lui avaient hébergé Béatrice, il devait occuper
un poste de directeur dans un ministère. Au temps
de Neuilly, il avait déjà un chauffeur quand Toto
plaçait des aspirateurs en porte-à-porte. Enfant,
Paul l'admirait et le détestait tout à la fois. Comme

il admirait et détestait son parrain, commandant à
bord d'un sous-marin, que ses parents avaient rencontré à Bizerte. Ces deux hommes affectaient la
même gravité pour écouter Toto, ils feignaient
d'acquiescer à son baratin de salon alors que Paul
lui-même, à huit ans, trouvait insipide, voire complètement idiot ce que disait son père – oui, mais
parce qu'il est intimidé, pensait-il, en temps
normal il peut être très intelligent et d'ailleurs il
ne parle pas de cette façon ridicule, comme s'il
avait une bille dans la bouche, il aurait voulu le
leur dire ; enfin donc ils affectaient le même intérêt
pour écouter Toto, avant de l'interrompre brusquement par une réflexion cinglante, que Paul
jugeait infecte, Toto finissant alors de bafouiller
tandis que leur mère, qui avait fait venir ses quatre
aînés au salon pour dire bonjour, se décidait enfin
à les prier de retourner dans leur chambre. Par la
suite, Paul avait vécu la même expérience que
Béatrice : hospitalisé un an après l'expulsion pour
une maladie du foie, il avait été expédié chez son
parrain, le commandant, pour une convalescence
qui l'avait précipité dans la première grande
dépression de sa vie. Aux dîners, on ne parlait
que de « vocation », de « carrière militaire », du
« sens de l'honneur », de « promotion Charles de
Gaulle » ou de « promotion Thierry d'Argenlieu »,
certains des fils du commandant avaient déjà
« intégré Navale » après être « passés par Ginette »,
d'autres fréquentaient encore « Ginette », et le
dernier, onze ans, contemporain de Paul, avait des

notes qui lui permettraient, selon sa mère, d'« intégrer Ginette sans difficulté ». Paul, qui était déscolarisé depuis un an et ne comprenait rien à ce qui s'échangeait autour de la table, en avait pratiquement perdu la parole. Qui pouvait être cette fille, Ginette, qu'il fallait à tout prix fréquenter pour « intégrer Navale » ? Quand le commandant ou sa femme, certainement soucieux de ne pas l'exclure de la conversation, lui demandaient ce qu'il aimerait faire plus tard – « Et toi, mon garçon, comment envisages-tu ton avenir ? » –, Paul s'entendait bredouiller des mots sans suite, tout à fait comme Toto au temps de Neuilly. Il ne se sentait bien que le matin, quand tous étaient partis et que la femme du commandant se mettait au ménage, car alors il s'en allait marcher à travers les rues silencieuses du vieux Versailles et pouvait pleurer sans que personne l'embête.

Ludovic et Nicolas ricanent nerveusement, mais Paul ne saurait pas dire pourquoi, il a perdu le fil. Ah oui, c'est Basile. Basile, assis sur le banc, à côté d'Adèle, qui raconte, mais sans rire, lui, que Toto ne se cachait pas pour rouler des pelles à Catherine devant eux, le dimanche matin sur le canapé, en sortant de la chambre où ils venaient de faire l'amour. La conversation les a donc ramenés chez Catherine, songe-t-il.

— Je t'ai servi ton café, Paul, dit Béatrice.

— Ah, merci !

Ils sont entre eux à présent, juste les frères et sœurs, Béatrice assise à la gauche de Paul. Claire a couché Jules sur une serviette-éponge, sous le tilleul, et elle bavarde à voix basse avec Agnès, l'une et l'autre allongées sur le flanc près de l'enfant, la tête posée sur le coude. David est au fond du jardin, en plein soleil, occupé à planter le petit figuier avec son fils et Jasmine. Anna et Coline se sont installées à l'écart pour parler avec Sylvain, revenu de sa courte sieste, leurs trois chaises disposées en rond – de musique apparemment. Elles ont été touchées par l'étrange grâce de Sylvain pendant le repas, Paul a surpris cela dans leurs regards, et maintenant elles veulent se rapprocher de lui.

— Dis-moi, Béatrice, tu as passé combien de temps chez les Guillaumet, toi ?

— Jusqu'à ce que papa revienne à la maison. Je ne sais plus... Trois mois peut-être.

— Un jour il est rentré. Et tu sais pourquoi ? Ce qui l'a décidé ?

— Non. Tu sais, moi, papa, je l'évitais plutôt, hein...

— Attends, Paul, intervient Basile qui a entendu la question, tu veux savoir pourquoi papa est revenu ? Parce que le père Dubuc est allé lui faire la morale, tiens !

— Putain, le père Dubuc ! s'écrie Nicolas. On l'avait complètement oublié celui-ci !

— Vous observerez, les mecs, lance Maxime, qui s'interrompt de filmer, qu'il y a toujours un cureton dans le circuit pour réconcilier ces deux cons. C'est pas vrai ? Excuse-moi, Christine, hein, c'est parti tout seul.

Cette fois, même Anne-Cécile choisit d'en rire.

— Franchement, je ne vois pas ce qu'il y a de choquant à voir un prêtre ramener la brebis égarée au bercail, lui rétorque Christine.

— Tu es gentille, dit Paul. Toto dans le rôle de la brebis égarée, je vais la noter, celle-ci.

— Eh bien j'y crois, figure-toi. C'est vrai que quelques prêtres sont intervenus dans la vie de nos parents, mais pour leur bien et celui de leurs enfants. Tu ne peux pas dire le contraire. Toi, Paul, tu as choisi de ne plus croire en rien, et si tu veux mon avis c'est bien dommage parce que te connaissant je suis certaine que la foi aurait pu t'aider à certains moments.

— Sans doute, oui, mais attends, je n'arrive pas à me figurer le retour de papa. Toi, Basile, tu t'en souviens ?

— Aucun d'entre nous ne l'a vu revenir, dit Adèle. On était chez Christine.

— Quand on est rentrés de chez Christine, confirme Basile, les parents s'étaient déjà réconciliés. La baronne avait repris du poil de la bête, si j'ose dire, et Toto filait doux, la queue entre les jambes – « Oui mon Minou, oui mon petit... », enfin le truc habituel, quoi.

— Sauf qu'il continuait à voir Catherine et qu'il l'appelait « ma chérie » devant nous, balance Adèle en regardant ailleurs.

Il y a un silence, soudain, comme si chacun, après avoir pris le parti de se moquer joyeusement, se retrouvait indécis. À cause de la tête d'Adèle qui semble au bord des larmes. Elle continue de fixer un point, vers le fond du jardin, et se tait.

— Ouais, dit doucement Basile.

Il est embarrassé, se passe une main dans les cheveux.

— Christine, reprend Adèle, la voix étrangement altérée, comme étouffée, il y a une chose que je ne t'ai jamais racontée. Le retour à la maison a été effrayant pour nous, pour moi en tout cas. C'était comme être ramenée dans un cloaque après avoir connu la lumière du jour. Tout était faux et visqueux entre les parents, la baronne n'avait aucune confiance en papa mais elle avait fait l'expérience de l'abandon et maintenant elle savait que c'était lui ou mourir, c'est-à-dire mourir par lui de toute façon puisqu'il allait continuer à faire son malheur. Papa nous faisait les complices de sa double vie, de ses mensonges, et le spectacle était à vomir. La queue entre les jambes devant maman, oui, comme le dit Basile, soumis et mièvre, dégoûtant de mièvrerie, mais pas plus digne chez Catherine devant laquelle il s'aplatissait. C'était si pitoyable, si destructeur, que la seule façon pour moi de trouver un peu d'air, c'était de m'enfuir de la maison. Je n'avais que quatorze ans, je ne pouvais pas aller bien loin. Alors tu sais où j'allais ?

Christine fait non de la tête, les mains croisées sous le menton comme si elle priait, ou rassemblait ses forces.

— Je venais sous tes fenêtres par la petite rue transversale et je te regardais aller et venir dans ton appartement. Tu ne pouvais pas me voir, j'étais cachée derrière le tronc du marronnier. Tu rangeais les chambres des enfants, puis tu passais l'aspirateur au salon. Parfois, la sonnerie du téléphone venait t'interrompre et je reconnaissais tous tes gestes, comment tu souriais, comment tu t'asseyais sur le gros accoudoir du canapé, le combiné à l'oreille. Je ne pouvais pas t'entendre, mais à tes expressions je devinais ce que tu disais. Quand on habitait chez toi et que tu étais au téléphone j'adorais venir m'asseoir au salon. Je le faisais discrètement, comme si je passais là par hasard, et tu me laissais faire, jamais tu ne m'as dit de partir. En t'écoutant, en te regardant faire, je pensais qu'il existait une vie possible et qu'Emmanuel et toi vous aviez su l'inventer. J'avais eu le temps de la toucher des yeux avant d'être ramenée dans le marigot, et maintenant, maintenant...

— Mon Dieu, Adèle !

Comme elle est sur le point de pleurer, Basile ébauche un geste pour lui toucher l'épaule.

— Qu'est-ce que tu aurais pu faire de toute façon ? Tu n'allais pas...

— Je n'allais pas vous adopter, non, convient Christine avec un triste sourire.

— Ces deux ou trois années où il a mené cette double vie, abonde Béatrice, je ne sais pas comment on a fait pour continuer d'avancer, pour nous lever le matin. Rien n'allait. On se moquait de nous à l'école parce qu'on arrivait en retard tous les matins. On était habillées avec des robes d'été en plein hiver, des chaussures qui prenaient l'eau, des chandails... Les professeurs n'osaient même plus nous faire venir au tableau parce que toute la classe riait. Je ne sais pas comment on a fait, il n'y avait plus rien à attendre, plus rien à espérer...

— Ah si, Béatrice, la corrige Adèle, moi j'ai vraiment espéré que Catherine allait nous prendre chez elle. Nous aurions nos chambres, elle le répétait souvent et papa acquiesçait.

— Parce que toi tu aimais bien Catherine, mais moi cette femme elle me faisait horreur avec tous ses bijoux, ses trucs Chanel, maquillée comme une pute.

— Elle envisageait même de louer ou d'acheter l'appartement au-dessus de chez elle pour que nous ayons chacun notre chambre, enfin les quatre derniers, je veux dire, toi, Maxime, Basile et moi. Rue de Seine, en plein Saint-Germain-des-Prés. J'en ai rêvé. Le bus pour l'école s'arrêtait en bas de chez elle, nous ne serions plus jamais en retard. Mais attends, tu ne te souviens pas ? Elle avait même commencé à nous offrir des vêtements, seulement il ne fallait pas que maman les voie, alors on ne les portait pas, on les laissait chez elle.

— Je m'en souviens, si. Papa m'avait prise à part pour m'engueuler parce que je n'avais pas dit merci. « Catherine se met en quatre pour vous être agréable... » Tu parles, oui... Et quand on retrouvait maman, il était là à minauder : « Ça va, mon Minou, tu as passé une bonne matinée ? En tout cas, je peux te dire une chose : les enfants sont enchantés... Le musée Carnavalet, et je les ai amenés ensuite sur l'esplanade du Trocadéro... De toute beauté... » Et il fallait raconter et sourire puisqu'on était « enchantés », paraît-il.

Béatrice s'interrompt un instant. Maintenant c'est elle qui semble chercher ses mots.

— Je ne sais pas si vous vous rappelez la tête de maman à cette époque, reprend-elle à l'adresse d'Adèle, de Maxime et de Basile : elle n'avait pas repris du poil de la bête, non, elle tremblait, elle roulait des yeux avec un sourire mécanique en nous écoutant, mais en réalité elle n'était plus capable d'écouter qui que ce soit. C'est toi, Paul, qui parles de ses yeux de folle dans ton premier livre, quand on vivait à la bougie. Eh bien là, c'était vraiment ça. Elle avait perdu vingt kilos, on ne voyait plus que ses yeux et son nez. C'était facile de se moquer d'elle, de lui raconter n'importe quoi.

— Ouais, dit de nouveau Basile. Putain, c'était atroce.

— Elle vous faisait pitié, dit Adèle, mais pas à moi. J'ose à peine vous avouer ce que j'ai espéré secrètement pendant des mois...

Elle sourit. Elle regarde ses frères et sœurs avec l'air de ne pas croire elle-même qu'une telle chose ait pu la traverser.

— J'ai espéré qu'elle allait crever. Je vous jure, hein, j'ai vraiment espéré qu'elle allait crever. Quand j'y pense, c'est épouvantable.

Elle continue de sourire, cependant, soutenant les regards des uns et des autres.

— Et finalement, c'est moi qui ai failli mourir ! conclut-elle en riant carrément. C'est à ce moment-là que je suis tombée malade et que le professeur Bernard m'a diagnostiqué une leucémie d'un genre particulier. Et la baronne, ça l'a requinquée, tiens ! Elle tenait enfin un truc pour se rendre intéressante, appeler tous ces cons de Bordelais et leur annoncer la bonne nouvelle.

Par un télégramme en poste restante à Buenos Aires, se souvient Paul. « Adèle perdue. Appelle au plus vite. Maman. » Il avait éclaté en sanglots, et Agnès également quand il lui avait tendu le télégramme en sortant de la poste. Est-ce que nous n'avons pas tous souhaité, à un moment ou à un autre, que maman meure ? songe-t-il. Lui, de toutes ses forces, quand elle était alitée au couvent de mère Colin. Vivre à la bougie avec Christine, dans leurs deux petits HLM délabrés et crasseux, était devenu une fête à part entière depuis qu'elle n'était plus là pour les terroriser. Plus personne n'allait à l'école, à part Christine, et Paul aimait bien la compagnie de Béatrice parce qu'elle

piquait des fous rires quand ils jouaient ensemble
aux petites voitures dans les flocons de poussière,
lui à plat ventre, elle assise comme un petit
bouddha dans sa couche-culotte. Tout le monde
riait aux dîners, mais ce n'était pas la pagaille pour
autant car Christine savait se faire obéir, et quand
Toto rentrait de clientèle, vers vingt-trois heures,
les petits étaient au lit et les grands se remettaient
à table pour le regarder dîner. Il mangeait de bon
appétit, prenait des nouvelles des uns et des autres,
bien plus détendu que lorsque sa femme était présente. Même l'incendie de la cuisine, dont elle
aurait fait un énième drame, était devenu une sorte
d'épopée dont Nicolas était sorti grandi. En se ren-
versant avec la casserole de soupe, le camping-gaz
avait mis le feu au lino et en un instant les flammes
avaient commencé à lécher le plafond. « N'écoutant que son courage » (Paul reprend là une
formule de la citation à l'ordre du régiment qui
avait valu la croix de guerre à leur grand-père,
devant Verdun, en avril 1916), Nicolas était allé
aussitôt sonner chez les voisins du dessous, les
Kerivel, qui avaient de bonnes raisons de le haïr,
lui et sa famille de détraqués, pour leur demander
un extincteur et grâce à son initiative le reste de
l'appartement, voire de l'immeuble, avait été
sauvé. Avant chaque visite au couvent, Paul espérait secrètement entendre la bonne nouvelle de la
bouche de mère Colin, en une phrase qu'il s'es-
sayait à formuler : « Mes pauvres enfants, votre

maman a été rappelée auprès du Seigneur. Venez, accompagnez-moi à la chapelle, nous allons prier ensemble pour le salut de son âme. » Non seulement la mort les débarrasserait de leur mère, mais elle leur donnerait un statut d'orphelins dont il voyait immédiatement les avantages (et cherchait en vain les inconvénients).

— Euh..., fait Paul, à propos de se requinquer, que diriez-vous d'un petit verre de limoncello bien frappé ? L'an dernier on avait apprécié, non ?

— Absolument, dit Ludovic.

— Ne bougez pas, je m'en occupe.

Quand il reparaît avec son plateau, Adèle est en train d'expliquer qu'elle n'a pas ressenti de chagrin à la mort de leur mère. « De la tristesse, oui, bien sûr, mais pas de chagrin », dit-elle.

— Pourtant, dit Christine, je suis certaine que maman nous a aimés.

— Elle a aimé Frédéric, ça oui, observe Paul avec véhémence. Le portrait de son père, « beau comme un dieu », « racé jusqu'au bout des ongles » – qu'est-ce qu'elle a pu nous faire chier avec ça !

— Elle t'a aimé aussi, Paul. Elle était en admiration devant toi.

— Elle a aimé ses trois garçons, Frédéric, Nicolas et Paul, dit Adèle. Nous, les filles, elle ne nous aimait pas.

— Toi, Christine, elle te craignait, parce que tu étais la seule à lui tenir tête, ajoute Ludovic. Cette

scène incroyable, je ne sais pas si tu t'en souviens :
tu lui avais balancé une vérité à la figure avant
d'aller t'enfermer dans ta chambre. « Ouvre immédiatement que je te donne une gifle ! — C'est ça,
giflez-moi. » Tu avais rouvert, tendu la joue, reçu
ta baffe, et pour toute réponse tu lui avais flanqué
ta porte au nez et on avait entendu le verrou
claquer. Magnifique, non ?

— C'est vrai qu'elle avait plus de difficultés
avec ses filles, convient Christine, mais maman a
aimé ses enfants, j'en suis convaincue.

Occupé à remplir les verres, Paul est partagé
entre le désir de la contredire et le veule soulagement de se ranger à son avis, comme il le faisait
petit, toujours d'accord avec Christine, c'était
plus sûr.

— Je n'ai pas le souvenir qu'elle m'ait manifesté la moindre affection, reprend Ludovic après
un silence. Tu vois, je réfléchissais, là, eh bien il
me semble que je n'ai jamais dû échanger avec
elle plus de trois phrases idiotes, sur la longueur
de mes cheveux ou la chasse d'eau que j'avais
oublié de tirer. Je pense que maman ne m'a pas
vu, en fait, et que si Nicolas ne m'avait pas pris
chez lui à l'adolescence j'aurais fini par disparaître
vraiment. Comme j'ai voulu le faire à huit ans
quand j'ai fait l'école buissonnière.

— Oh oui, ça je ne peux pas l'oublier, dit doucement Paul.

Personne ne semble l'avoir entendu, mais
comme il tend un verre à Christine, il sent que son

cœur s'emballe. Il se rappelle tous les détails de cet épisode tragique de la vie de Ludovic, mais il éprouve surtout le poids de la honte qui le poursuit jusqu'aujourd'hui. Profondément déprimé d'être la risée du collège parce que Toto le déposait tous les matins en retard – on lui avait installé son pupitre dans le couloir où chacun pouvait ainsi l'humilier –, Ludovic avait décidé, un matin de janvier, après les vacances de Noël, de ne pas entrer et de partir se promener. Ensuite, pendant trois mois environ, il avait renouvelé l'expérience et donc passé toutes ses journées à errer dans le quartier, à huit ans, en plein hiver, traînant son petit cartable à travers les rues que balayait le vent glacé, que la neige recouvrait certains jours, et chapardant ici et là aux étalages pour se nourrir. Au début du printemps, les parents s'étaient enfin avisés qu'il n'allait plus à l'école. Mais au lieu de prendre la mesure de sa détresse, ils avaient monté une sorte de guet-apens auquel ils avaient associé Frédéric et Paul. Toto et ses deux fils allaient suivre Ludovic à bord de la Peugeot, comme de véritables policiers, n'est-ce pas, pour savoir très précisément où il allait et pouvoir ainsi le confondre. La traque avait été pleine de suspense, ponctuée d'exclamations et de rires dans l'habitacle, un authentique film policier, jusqu'à ce que l'inspecteur principal Toto décide d'intervenir. Il s'était garé en travers de la rue et, laissant flotter au vent son trench-coat, avait couru derrière le suspect pour lui mettre la main au collet. Paul, qui avait treize ans, avait éprouvé une véritable jouissance à suivre la trace de Ludovic et à le coincer. C'est cela que, un demi-siècle plus tard, il ne peut pas se pardonner. À quel moment avait-il pris conscience de s'être comporté comme un salaud ? Bien plus tard, à trente ans peut-être, quand il avait reçu une lettre de Ludovic lui révélant qu'il avait tenté de se suicider le lendemain du jour où Toto et ses deux fils l'avaient « arrêté ». Alors d'un seul coup un remords épouvantable l'avait saisi. « Nicolas, écrivait Ludovic, a été le seul à s'inquiéter de moi dans les jours suivants, quand papa m'interrogeait. »

Ludovic en est précisément là de son récit.

— Le seul à m'avoir manifesté un peu d'humanité a été Nicolas. Il est entré dans la pièce quand l'autre con en sortait et il m'a dit quelque chose comme : « Ça va, tu tiens le coup ? », avec un petit signe de la main.

— C'était de la folie, ce truc, lance Nicolas avec son rire, Toto l'interrogeait comme un criminel alors qu'il avait huit ans, le mec !

Paul voudrait dire son regret et sa honte, mais il ne trouve pas les mots. Le rire de Nicolas le désarçonne, l'écrase – Nicolas, songe-t-il, n'a rien en lui de méchant ni de calculateur, il a su tout de suite où était le bien, il a su tout de suite, tandis que moi... Comment ai-je pu ne pas voir ? Me laisser embarquer ? C'est infect, c'est accablant. Aucune demande de pardon ne saurait effacer cette ignominie. Je suis un salaud aux yeux de Ludovic, un collabo, il le pense sûrement mais ne le dira pas. Et je vais porter ça jusqu'à la fin.

— Eh bien tu vois, Christine, poursuit Ludovic, qui suit son idée, pendant tous ces jours où j'ai voulu mourir, où j'étais absolument seul, à part le soutien de Nicolas, maman n'a pas eu un mot pour moi, pas un geste. C'est bien simple, elle ne m'a jamais parlé de cet événement qui tient une place considérable dans ma vie, aujourd'hui encore.

Il se tait.

— Nos parents, reprend-il, c'était vraiment de la merde. Il n'y a rien d'autre à en dire.

Cette fois, Christine demeure silencieuse, et il ne s'en trouve aucun pour défendre leur mémoire. Maxime filme ce moment où chacun est en soi.

— Adèle, dit soudain Béatrice, moi non plus, tu sais, je n'ai pas eu de chagrin à la mort de maman.

— Vous vous souvenez de sa messe d'enterrement ? intervient Paul. Il n'y avait personne dans l'église, je ne sais même pas si nous étions là tous les dix. Alors que trois semaines plus tôt, pour papa, j'avais eu du mal à trouver de la place.

Avec Esther et Anna, ils s'étaient assis au dernier rang, lui encore tremblant de s'être fait bousculer par ses frères. Qui étaient toutes ces personnes venues prier pour Toto ? Il n'en avait reconnu aucune, mais il est vrai aussi qu'il s'était enfui avec sa femme et sa petite fille dès la messe finie pour ne pas être repris à partie par ses frères. Quand ils l'avaient vu revenir pour leur mère, cette fois avec Esther seulement, aucun n'avait bougé et certains l'avaient même salué d'un sourire timide ou d'un signe de la main.

— C'est vrai ce que tu dis, constate Christine, et c'est d'une ironie cruelle quand on y pense : maman, qui avait rêvé de briller, qui attachait tant d'importance aux apparences, aura fini sa vie dans le plus grand dénuement, avec son unique chemise sur le dos et sans une seule connaissance, à part ses enfants, pour l'accompagner par la prière.

— Et même cette chemise, ajoute Anne-Cécile, c'est moi qui étais allée la lui acheter car la religieuse m'avait signalé qu'elle n'avait pas de quoi l'habiller.

Paul éprouve soudain le désir d'expliquer qu'il y a tout de même un jour, dans leur vie commune, où leur mère lui a paru digne d'affection. Mais comment s'y prendre pour ne pas pleurer s'il se met à raconter ce jour-là, puisque jusqu'ici il n'a jamais pu se le remémorer sans pleurer ? Basile, le visage fracassé sur le sol de la salle de bains, suffocant, et l'impuissance de leur mère. Quand Paul était arrivé en courant, elle trépignait au-dessus de son dernier enfant, hurlant de douleur et d'effroi. Tous les trois étaient seuls dans l'appartement ce matin-là. Il ne sait plus si c'est elle ou lui qui a trouvé la force de ramasser Basile après avoir redressé sa chaise haute de bébé qui barrait le passage. Il ne sait plus. Ensuite, toute la journée à bord du même taxi ils avaient cherché un hôpital ou une clinique qui accepterait de prendre en charge Basile, et toute la journée sa mère avait

pleuré sur le visage ensanglanté de son enfant.
C'est Paul qui avait pensé à Saint-Joseph, finalement, parce que c'est là qu'il avait été hospitalisé
pour son foie deux ou trois ans plus tôt et c'est
à Saint-Joseph qu'ils avaient été admis en fin
d'après-midi. Quand Paul était venu dire adieu à
sa mère, une semaine peut-être avant sa mort, elle
lui avait dit doucement, gardant sa main entre les
siennes : « Je te demande pardon pour le mal que
je t'ai fait, mon petit. Je te demande pardon, tu
m'entends ? — Oui, maman. Mais je ne t'en veux
pas, avait-il menti, tu as fait comme tu as pu, nous
n'avons pas eu une vie facile. — Non, c'est vrai. »
Elle s'était tue un long moment, les yeux grands
ouverts, le regard fixe, et soudain elle avait ajouté :
« Tu te rappelles cette journée avec Basile ?
— Comment est-ce que je pourrais l'oublier,
maman ? — Tu as été formidable, je ne sais pas
comment j'aurais fait sans toi. » Alors comme Paul
s'était mis à pleurer, elle l'avait attiré contre elle,
son visage contre son sein, et pour la première fois
de leur vie ils s'étaient étreints. « Merci, mon
chéri, merci », l'avait-il entendue murmurer.

Bon, mais ça non plus il ne va rien en dire.
D'ailleurs, Anna vient de se lever pour répondre
au téléphone et cet événement minuscule a mis un
terme au climat d'intimité qui s'était instauré entre
eux. Certains la regardent aller et venir le long de
la haie, soucieuse de ne pas réveiller Jules, son
petit portable collé à l'oreille, tandis que Sylvain
et Coline les rejoignent, apportant leurs chaises.

— Limoncello, les enfants ?

— Ah oui ! dit Coline. Et même je veux bien une cigarette.

Paul lui tend son paquet.

— Je ne savais pas que Sylvain jouait du piano dans des salles de concert du monde entier, dit-elle en allumant sa cigarette. Sylvain, je ne sais pas comment te le dire, mais vraiment je t'admire !

Plusieurs d'entre eux éclatent de rire. Christine applaudit.

— Ta fille est adorable, glisse-t-elle à Paul. Cette spontanéité, c'est merveilleux.

— Oui, adorable et généreuse, ajoute-t-il tout bas.

Sylvain est allé s'asseoir entre son père et Nicolas. Il sourit à Coline, tend le bras dans sa direction comme s'il voulait dire quelque chose, puis finalement y renonce.

C'est Adèle qui leur sert du limoncello puis remplit les verres de ceux qui en veulent encore.

— Hé, papa, tu viendras voir ton figuier ? lance David en passant. Je me rince les mains et j'arrive.

— C'était maman, dit Anna en se penchant à l'oreille de Paul. Elle dit qu'elle devrait être là dans un quart d'heure-vingt minutes, ça ira pour toi ?

— Parfait, ma chérie. Ça ira très bien, ne t'en fais pas.

Il serait faux de prétendre qu'il avait oublié la venue d'Esther, mais il sait très bien faire cela :

ranger dans un tiroir de son esprit une chose qui le préoccupe pour être complètement à ce qui l'intéresse. Sinon, il ne pourrait pas écrire chaque matin, songeant au chagrin de Jasmine d'avoir dû quitter ses amis de la crèche de Vienne, à sa relation à la fois tendre et douloureuse avec David, à sa dernière conversation avec Anna qui lui avait fait toucher du doigt combien il avait été un père aveugle par moments, et cætera, et cætera.

Tandis que David lui explique pourquoi il a choisi cet emplacement pour son figuier, Paul se repasse sa dernière conversation avec Esther, cinq ans plus tôt. Elle lui avait écrit que par sa faute ils n'avaient plus aucun échange à propos de leurs filles et, pris d'une sourde colère, Paul l'avait appelée plutôt que de lui répondre par mail. «Esther, comme peux-tu imaginer une seule seconde que je puisse ressentir le désir de parler avec toi de nos filles après ce que tu m'as dit : que tu regrettais d'avoir eu des enfants avec moi ?
— Je ne te pardonnerai jamais de l'avoir écrit.
— Parce que pour toi, l'insupportable, c'est de l'avoir écrit, pas de l'avoir pensé, c'est ça ? — Je ne me souviens pas te l'avoir dit, mais même en admettant que ce soit vrai, si tu ne l'avais pas écrit, ça serait oublié depuis longtemps, ça n'existerait pas. — C'est justement ce que je ne veux pas, faire comme si rien n'avait jamais existé. Tu l'as pensé et tu l'as dit, Esther, je me souviens de tout, de tes mots, de ton regard à ce moment-là, de la façon

dont nous étions disposés sur le lit. Et tu l'as dit à dessein, pour m'anéantir, pour te libérer de moi, pour que nous cessions d'exister à tes yeux – c'était une mise à mort. Si je ne l'avais pas écrit, aujourd'hui tu pourrais en rire avec désinvolture, prétendre que c'est une affabulation, te moquer, mentir, comme je t'ai vue tant de fois le faire pour te tirer d'embarras. Et j'aurais tes mots en moi qui me rongeraient comme un cancer. En les écrivant, j'ai fait d'eux un objet extérieur que d'autres partagent désormais avec moi. Je me suis sauvé – personne ne peut supposer que j'ai inventé une telle saloperie. Il s'était interrompu un instant, hors de lui, et il l'avait entendue respirer à l'autre bout. À quoi ressembleraient nos vies, avait-il repris plus calmement, si nous pouvions piétiner tout ce que nous avons pensé et dit au gré des situations ? Nous ne serions plus que des marionnettes insipides, Esther. — Si c'était pour me dire ça, tu pouvais te dispenser de m'appeler. Salut ! » Et elle avait raccroché.

Il embrasse son fils.

— Merci mon David. J'en prendrai soin, je te le promets.

Et là-dessus, il monte un instant s'enfermer dans son bureau.

Rien ne serait oublié, mais tout serait pardonné, comme avec mes frères et sœurs, songe-t-il, si Esther exprimait le regret de cette phrase. Il avait été un compagnon attentionné et loyal, et en dépit de ses insuffisances un père à la maison, soucieux de bien faire. Elle ne pouvait pas croire sincèrement à ce qu'elle avait dit. C'était sa part sombre qui l'avait emporté à ce moment-là sur tout le reste. Son puissant désir d'achever le travail de démolition entrepris lorsqu'elle l'avait découvert incapable d'écrire et tremblant, bien dans l'esprit de la fille qu'elle avait dit être au tout début de leur relation, destructrice et perverse. Il ne voit pas d'autre explication. Il a là toutes ses lettres, dans un tiroir de son bureau, et parmi elles ce petit mot découvert sur sa table de travail durant le premier été qu'ils avaient passé ensemble, avec Claire et David, dans une maison de location au bord de la mer : « Songer que je n'aurai jamais d'enfant de toi me brise le cœur. » Au printemps suivant, Paul lui avait dit qu'il voulait un enfant d'elle, et Anna était venue au monde neuf mois plus tard. Tout est écrit là, tout a donc bien existé. Ils se sont aimés, ils ont eu Anna puis Coline, elle ne peut pas regretter sincèrement toutes ces années. Tu mens, Esther, tu ne regrettes pas d'avoir eu des enfants avec moi. Tu as cherché comment te sauver, comment tout recommencer avec un homme bien plus jeune que moi, désinvolte et moderne, le genre à porter un tee-shirt Mickey sous une veste de smoking dans les réceptions quand je suis si lourd, mais tu ne regrettes pas ce que nous avons partagé, je ne te crois pas. Il se souvient comme elle était mal élevée quand il l'a rencontrée, et combien cela l'avait charmé. Avant-dernière d'une famille de douze, sa petite sœur en somme, vingt-cinq ans quand il en avait quarante, voleuse comme lui au même âge, bagarreuse et mal embouchée, émouvante le soir, grinçante le matin, ou l'inverse, si bien qu'il ne savait jamais à quoi s'attendre. Puis elle s'était affinée et polie, avait voulu connaître Curtis, organiser quelques dîners, et au fil des années il l'avait découverte élégante, trompant son monde dans une robe de couturier, avant de s'éclipser pour aller fumer sur le toit avec les trois voyous de la soirée. Elle pensait Paul assez naïf, ou crétin, pour ne pas prêter attention aux préservatifs qui tombaient de son sac ou de ses poches. Des échantillons qu'elle recevait au bureau, prétendait-elle. Depuis quand les fabricants de capotes en expédiaient-ils dans les bureaux ?

Il replace ses lettres dans leur tiroir. Il a envie d'une cigarette avant de la voir débarquer et il redescend en sifflotant. Tu mens, Esther, tu mens, tu ne regrettes pas d'avoir eu des enfants avec moi, je ne te crois pas. Il est sûr de lui, elle ne pourra plus l'atteindre, il se sent bien plus fort que dix minutes auparavant. « Songer que je n'aurai jamais d'enfant de toi me brise le cœur. » Une femme capable d'écrire une telle phrase recèle en elle des trésors d'humanité et de poésie. Voilà ce qu'il pense, et cette pensée lui fait bondir le cœur. Mère Colin aurait dit qu'Esther hébergeait en son sein le Diable et le bon Dieu et que parfois le

Diable, usant de la ruse, parvenait à l'emporter momentanément sur le Tout-Puissant. Elle avait expliqué la chose à Paul quand il lui avait balancé que si le Seigneur existait vraiment il n'aurait pas permis qu'on les expulse et qu'on leur coupe l'électricité. « Nous sommes libres et responsables, mon enfant, et il dépend de chacun d'écouter la bonne parole ou de céder à la mauvaise. » Il n'avait pas vu le rapport avec l'expulsion. Elle avait alors tenté, comme elle le faisait au temps de Neuilly, de prendre son visage entre ses mains, longues et froides comme du marbre, mais il lui avait échappé.

Il sourit en les retrouvant tous assis en désordre autour de la table, bavardant par petits groupes, certains riant, d'autres graves, Jules avalant son biberon sur les genoux d'Agnès, à présent, tandis que Claire découpe un cake.

— Ben d'où sort-il, celui-là ?

— Le cake, tu veux dire ? C'est Anne-Cécile.

— Vraiment ? dit Paul, se tournant vers sa sœur.

— J'en ai même fait deux, si tu veux tout savoir, prévoyant qu'on serait nombreux.

Anne-Cécile, dont il n'a jamais su reconnaître la générosité. En un éclair il revoit la scène du lavabo, alors il se penche sur elle et l'embrasse – « Merci, lui murmure-t-il à l'oreille, merci pour tout, et surtout d'être venue. »

Puis il cherche confusément son paquet de cigarettes quand il entend claquer une portière.

— Papa, dit Anna précipitamment, je pense que c'est maman.

Elle est déjà debout, prête à courir l'accueillir.

— Laisse, ma chérie, j'y vais, je préfère.

Il traverse le jardin en direction du petit portail. Il entend que son cœur cogne violemment mais il sourit. Et tout de suite, à peine franchi le portail, il reconnaît sa silhouette. Elle se présente à lui de dos, penchée sur la banquette arrière, la portière béante dissimulant en partie son bassin, mais il reconnaît ses jambes de basketteuse, ses fesses musclées plantées haut – « Tu les aimes bien, mes fesses ? — Oui, je crois que j'aime tout. — Moi, mes fesses, c'est ce que je préfère », avait-elle dit en se vrillant le cou pour les observer dans la glace de l'armoire. Le matin, après leur première nuit dans une chambre d'hôtel.

Et puis elle se redresse, un carton de pâtisseries sur les bras, et comme elle se retourne, elle le voit.

— Bonjour Paul, dit-elle, un peu confuse. J'espère que tu ne m'en veux pas d'être venue. C'était l'occasion d'embrasser Anna que je vois si peu.

— Bonjour. Ne me demande pas ce que je pense. Tu es venue, c'est tout. Viens, entre.

Il la fait passer devant lui et referme le portail. Puis il vient à sa hauteur pour traverser le jardin et déjà la plupart se sont levés pour l'accueillir. Paul observe qu'Anna et Coline se tiennent en retrait, soucieuses sans doute d'observer cet événement totalement imprévisible : la rencontre de leur mère avec la famille de leur père, après trente années de gel. Les oncles et tantes de Corée du Sud regardant approcher depuis le poste-frontière la belle-sœur de Corée du Nord qu'ils n'avaient encore jamais vue (si l'on excepte l'enterrement de Toto où aucun ne l'avait saluée).

Ludovic s'approche le premier pour la débarrasser de ses gâteaux.

— Bonjour Esther. Nous sommes tous très heureux de te connaître après avoir enfin rencontré Anna et Coline.

— Je te présente Ludovic, dit Paul. L'un de mes frères. L'un de mes *petits* frères.

Ils s'embrassent, et Paul songe que lui n'embrasse pas Esther tandis que Ludovic, si.

Puis Nicolas, puis Christine, puis Basile et tous les autres. Maxime, lui, continue à filmer.

Paul note qu'Agnès et David, après avoir embrassé Esther, se sont discrètement éclipsés.

— Tu t'assois un moment avec nous ? propose Ludovic.

— Je ne veux pas vous déranger… Je voulais juste embrasser mes filles, c'était l'occasion.

— Ah oui, bien sûr. Non, mais juste une minute…

Et disant cela, Ludovic lui dégage prestement l'accès à une chaise.

— Tiens, installe-toi. Qu'est-ce que tu aimerais boire ? Nous, on tourne au limoncello, mais je suppose que Paul a autre chose.

Certains rient, c'est un grand désordre autour de la table, les uns et les autres se rasseyant au petit bonheur en fonction de la disposition des chaises.

— Un Pac citron, maman ? Tu veux un Pac citron ? propose Coline.

— Avec plaisir, ma chérie, il faisait très chaud sur la route, je meurs de soif.

Et voilà, tout le monde est de nouveau assis, Paul légèrement à l'extérieur du cercle, à demi caché par Anne-Cécile. Il observe qu'Anna s'est placée à côté d'Esther et que voyant la main de sa mère reposer sur la table elle l'a prise dans la sienne, et la garde.

— On ne veut pas te retenir, reprend Ludovic, mais pour nous aussi c'est l'occasion de te présenter nos excuses. Je parle au nom de tous, et je suis certain qu'aucun ne me contredira : nous nous sommes comportés comme des abrutis à ton égard, comme à l'égard de vos filles. Le mal est fait, il est évidemment trop tard pour rattraper tout ce que nous avons raté, d'autant plus que Paul et toi êtes séparés, mais nous voulons te dire, Esther, que tu as une place parmi nous, si tu veux bien la prendre, en tant que mère de nos deux nièces.

À quoi s'attendait-elle ? songe Paul en voyant comme son front se charge subitement, comme son regard noir se trouble. Tendue et brune comme une Gitane, Esther ne rougit pas lorsqu'elle est confuse mais on dirait alors que son beau front se met à peser plus lourd sur ses paupières. Comme un ciel qui se plomberait.

Elle acquiesce. Elle ne trouve rien à répondre, prise de court.

La connaissant, Paul dirait qu'elle est venue pour leur signifier à tous qu'elle existe, que bien que divorcée de Paul elle continue d'exister et n'a pas peur d'eux. Que c'est un peu facile de venir aujourd'hui draguer ses filles en l'ignorant, elle. Il dirait qu'avec son culot habituel elle est venue pour les provoquer, sans autre intention que de leur exhiber son sourire de voyou, de leur faire voir qui elle est – « Bonjour bonjour, retenez bien que je vous emmerde et que partout où mes filles seront, je serai si j'en ai envie. » Il dirait qu'échaudée par la scène de l'enterrement elle ne s'attendait sûrement pas à être reçue avec chaleur comme leur regrettée belle-sœur.

Et comme le silence se prolonge, que l'on n'entend plus que Jules qui semble se demander pourquoi plus personne ne bouge, est-ce que ça ne serait pas un jeu, par hasard ?, Nicolas y va de son petit mot.

— Que les choses soient claires, Esther, nous t'avons ratée, tant pis pour nous. Maintenant, nous voulons ouvrir la famille à Coline et Anna, mais nous ne le faisons pas dans ton dos et pour nous c'est une chance que tu sois passée justement cet après-midi. J'y vois même un gage de réussite dans notre grande entreprise de reconstruction.

— Absolument, confirme Ludovic. Nicolas a raison.

— Eh bien merci, répond doucement Esther.

— Tenez, prenez une part de cake, propose Christine. Et puis on vous laissera avec vos filles qui piaffent d'impatience.

Alors Paul se fait la réflexion que ses frères ont d'emblée tutoyé Esther, tandis que Christine respecte les formes.

Il regarde Esther avaler son cake, boire son Pac citron, tandis qu'Adèle fait tourner les gâteaux qu'elle a apportés – des religieuses et des éclairs au chocolat, des tartes aux fraises, au citron, aux pommes. Ses joues se sont creusées, ses traits se sont durcis – il se demande soudain s'il lui est arrivé de regretter de l'avoir quitté. Si elle a seulement souffert de leur séparation. Lui pensait tomber en syncope s'il la croisait un jour dans la rue, il s'en faisait toute une affaire, priant secrètement pour que cela n'arrive jamais, eh bien voilà, c'est arrivé, et il n'a pas éprouvé le plus petit vertige. Il peut la dévisager tranquillement, croit-il, se convaincre qu'elle lui est devenue indifférente, quoiqu'il n'en soit pas certain. Elle n'irradie plus cette sombre lumière qui le bouleversait, il dirait qu'elle s'est insensiblement éteinte avec le temps, oui mais c'est bien elle malgré tout – il doit prendre garde à ne pas retomber, à ne pas perdre tout le terrain conquis au fil des années. Quand il avait compris, par le coup de fil innocent d'un ami, qu'elle était l'amante d'un autre, qu'elle faisait au lit avec un autre ce qu'ils faisaient ensemble, la douleur avait été si violente qu'il s'était entendu pousser un rugissement de bête, puis il s'était assommé contre la pierre d'un immeuble, était tombé à genoux sous le coup et avait vomi sur le trottoir, comme un poivrot. Il doit prendre garde car la douleur est bien présente encore, enfouie quelque part où il la sent parfois bouger. Longtemps, il s'est soigné par la colère, songeant qu'elle était la seule coupable de leur séparation, de ce désastre. Puis un soir, regardant des photos anciennes dans son bureau, il s'est interrogé soudain sur sa propre responsabilité et abîmé alors dans un désespoir sans fond. Se pouvait-il qu'il ait perdu Esther par sa faute ? « Ma plus belle œuvre », avait-il écrit de sa femme. Et pendant ce temps-là elle s'enfuyait déjà, cherchant l'air auprès d'autres hommes. « Revenez sur terre, Paul. Je crains qu'aucune femme ne puisse supporter longtemps d'être sacralisée », l'avait prévenu Curtis. Il n'avait pas pu dormir cette nuit-là, rattrapé par le chagrin des premières semaines sans elle.

— Bon, dit Anna, on va marcher un peu toutes les trois, maman ? Parce que je dois partir bientôt.

— Je préférerais qu'on se voie dans la maison, ma chérie. Il fait trop chaud sur la route. Enfin, si ton père est d'accord.

— Mais bien sûr, dit Paul. Quelle question !

Elles se lèvent, il les suit des yeux tandis qu'elles pénètrent dans la véranda. Esther lui semble soudain tendue et fatiguée. Avant de les rejoindre, Coline prépare sur un plateau trois verres de Pac et quelques tranches de cake.

— Coline ! fait Claire en éclatant de rire.

— Ben quoi, peut-être qu'elles auront faim !

— Enfin, c'est surtout toi qui pourrais avoir faim, non ?

— Tais-toi, tu m'embêtes à la fin.

Une fois Coline partie, il y a un silence, comme si chacun se demandait où, et comment, reprendre le fil de la conversation.

— Paul, intervient Ludovic, nous ne nous étions pas concertés à propos d'Esther. Nous ne t'avons pas mis dans l'embarras, j'espère ?

— Non, il faut que les filles entendent que leur mère est accueillie, sinon elles vont se retrouver dans un conflit de loyauté. Ce que vous avez dit est très bien.

— C'est encore douloureux, pour toi, de voir Esther ?

— Ce n'est pas anodin.

Alors il croise le regard de Claire.

— Quand même, tu vas beaucoup mieux maintenant, remarque-t-elle en se levant pour aller changer la couche de son petit Jules.

— Oh oui, bien sûr.

Claire est un ange, songe-t-il, et pas seulement parce qu'elle en a la blondeur et la grâce. C'est vers elle qu'il se tourne quand il est fatigué, pour ne pas dire perdu. « Esther et moi venons de nous séparer, Claire. Tu veux bien m'aider à chercher un appartement ? J'ai peur de ne pas avoir l'énergie, là… — Je m'en occupe, oui. — Quelque chose comme j'aime, hein ? — Je connais tes goûts, papa. » Dans la journée elle lui avait déniché la perle rare, au sixième étage d'un immeuble années trente, élégant et lumineux, à trois pas du Trocadéro, et pour un loyer très inférieur au marché. Pour avoir vu sa mère sombrer sous le coup de la laideur et de la vulgarité, il sait que l'élégance et la beauté contribuent efficacement au rétablissement. Ensuite, elle était venue une fois par semaine dîner avec lui, ils allaient chaque fois dans le même restaurant et chaque fois il s'était étonné de la trouver si juste, ni dans la compassion ni dans l'enjouement, mais naturelle, discrètement affectueuse, rien de plus.

— Je vous envie d'être restés jusqu'à aujourd'hui avec la même femme ou le même homme, dit-il soudain, surpris par son aveu.

— Ça, mon pauvre…, lâche Christine.

— Je peux le dire puisque nous sommes entre nous : je me rends compte aujourd'hui combien j'aurais aimé vieillir avec Agnès.

— Ah bon, vraiment ? s'étonne Ludovic.

— Oui, je regrette cette complicité qu'on invente à seize ou dix-sept ans, l'âge où nous nous sommes tous mis en couple. Par la suite, quand on se rencontre à l'âge adulte, on ne retrouve plus jamais cette forme d'engagement quasi fraternel, ingénu, à la vie à la mort.

— Ce n'est pas forcément très sain, tu sais, remarque Adèle. Encore enfants, nous nous sommes accrochés à un autre pour nous sauver, c'est un lien solide, oui, parce que nous avons fini de grandir ensemble, mais on pourrait presque le qualifier d'incestueux. Enfin, là, je m'avance un peu trop, peut-être.

Elle fait un geste de la main, comme pour effacer ce qu'elle vient de dire.

— Mais non, dit Paul, c'est justement ça que j'aimais avec Agnès – le côté incestueux. Je pensais que jamais rien ne pourrait nous séparer puisqu'on était devenus quasiment frère et sœur, et en même temps cet état faisait que plus on avançait plus ça devenait vertigineux de faire l'amour, et donc… et donc de plus en plus intéressant.

— Tu es complètement cinglé ! s'esclaffe Béatrice. Si c'est ça, ça ne m'étonne pas qu'Agnès t'ait quitté.

— Oui, tu dis vraiment n'importe quoi, renchérit Anne-Cécile. Donc, pour toi, la fidélité, la loyauté, ça se résumerait à de l'inceste !

— Attendez, reprend-il, avec les parents que nous avons eus, j'aurais parié à vingt ans que nous divorcerions tous à répétition, les garçons tétanisés par les femmes et voulant les faire payer, les filles fuyant la dangerosité des hommes. Or, il s'est passé exactement le contraire : vous êtes tous avec celui ou celle que vous avez rencontré à l'adolescence. Je suis l'exception qui confirme d'autant

mieux la règle que si je suis sincère avec moi-
même, j'aurais voulu faire comme vous, passer
toute ma vie avec Agnès. Il n'est donc pas idiot de
prétendre qu'il y a peut-être quelque chose d'incestueux dans l'étonnante fidélité que nous mani-
festons à notre premier amour. Nous, élevés dans
une famille si sournoisement incestueuse, n'est-ce
pas ?

— Ce n'est pas si con, ce que dit Paul, note
Ludovic. C'est vrai que chez nous personne n'était
à sa place : nous étions plusieurs à considérer que
Christine était notre mère, donc un modèle féminin
pour les garçons, Frédéric s'est pris pour le père et
après avoir tyrannisé les petits il a tenté de flinguer
Paul au nom d'une autorité usurpée, Adèle a un
lien filial avec Paul qui l'appelle Claire une fois
sur deux, comme s'il était son père, moi je ne sais
pas ce que je serais devenu sans Nicolas, et j'en
passe.

— Je vous avoue même, reprend Paul, que le
fait qu'Esther soit d'une famille de douze enfants
a compté dans notre rencontre. Nous venions du
même endroit – chez elle aussi les grands ont élevé
les petits, chez elle aussi il y a un Frédéric, elle
m'a tout de suite été familière, comme une petite
sœur.

Ils se connaissaient depuis à peine un mois
quand elle avait voulu le présenter à sa sœur
aînée qui l'avait recueillie à l'adolescence. Esther
n'avait qu'un vague souvenir de sa mère, morte

l'année de ses cinq ans, et une affection touchante
pour celle qui avait tenté de la remplacer. Paul
avait aussitôt aimé la sœur aînée mais compris
qu'Esther avait été abandonnée à elle-même. Elle
avait souffert de la solitude, du froid, du manque
d'argent, tout cela se devinait à travers ses rares
confidences et les quelques photos qu'il avait pu
rassembler d'elle à cette époque. Elle n'avait pas
de modèle de mère et l'arrivée d'Anna l'avait profondément désarçonnée. Elle avait dû apprendre
toute seule, troublée et malheureuse. « Heureu-
sement que tu es là », répétait-elle à Paul. Elle était
devenue véritablement mère avec Coline, découvrant le bonheur de lui donner le sein et de l'en-
dormir contre elle. Alors ils avaient tenté de
recomposer une famille, Claire y avait trouvé faci-
lement sa place, mais pas David qui avait onze ans
à la naissance de Coline. Il dirait plus tard à Paul
qu'il ne s'était jamais entendu avec Esther, au
contraire de Claire qui avait bien voulu se laisser
adopter dès les premiers mois. Bon, mais en dépit
du mal-être de David, ils avaient tant bien que mal
reconstruit une famille – les longs étés à Gardel,
les voyages rituels en Italie, le séjour en Tunisie,
et bien d'autres moments encore en témoignaient.
La mémoire de tout cela est aujourd'hui ras-
semblée dans une quinzaine d'albums photos que
Paul conserve dans son bureau.

Esther s'est cependant arrangée pour que ces
albums soient un objet de souffrance pour lui. Un

jour, il a reçu d'elle un message lui indiquant qu'elle déménageait et qu'il devait passer prendre les quelques affaires lui appartenant. Elle partait en week-end, il trouverait les clés à tel endroit, et ainsi ils ne se croiseraient pas. La perspective de devoir retourner dans la maison où ils avaient vécu, et où elle vivait à présent avec un autre, l'avait rendu malade – il avait embarqué les cartons préparés par Esther à son intention sans les ouvrir, en évitant d'entrer dans les chambres, en évitant même de lever les yeux, et il s'était enfui le plus vite possible. Le choc était intervenu une fois chez lui, quand il avait constaté qu'elle lui avait abandonné *tous* les albums photos. Il n'en croyait pas ses yeux, il les avait comptés puis recomptés : aucun doute, elle n'en avait pas gardé un seul. Alors il les avait ouverts, et c'est en tombant sur ceux consacrés aux naissances d'Anna et de Coline qu'il avait compris le message. Comment pouvait-elle ? Comment avait-elle pu ? De la naissance de leurs filles, elle n'avait donc pas conservé une seule photo. Elle lui rendait tout, elle ne voulait rien. Comment mieux lui signifier qu'elle regrettait ce qu'ils avaient partagé de plus précieux ?

Pendant quelques semaines il s'était senti profondément abattu, avant de parvenir à formuler les termes d'un compromis : connaissant son goût pour la photo, son souci du passé, de ne rien perdre, de ne rien oublier, elle avait voulu faire de lui l'archiviste de leur famille. Leurs enfants savaient bien que Paul gardait tout, de leurs premiers dessins à leurs derniers diplômes, il était donc cohérent qu'il soit également le dépositaire des albums. À partir de ce petit arrangement, il en était même arrivé à se réjouir d'avoir tout ce patrimoine à sa disposition.

La conversation s'est interrompue avec le retour de Claire et de Jules.

— Dis-moi, Claire, vous n'avez pas regretté l'Autriche ? s'enquiert poliment Christine.

— Ah non ! J'avais hâte de rentrer.

Paul voit combien Claire s'anime dès qu'on l'interroge sur sa vie, ses enfants, son mari, son métier, l'appartement qu'ils habitent dans une banlieue où les crèches ne manquent pas, où ils se sont fait aussitôt des amis, de jeunes couples à leur image, avec des enfants du même âge. Il voit combien ses frères et sœurs semblent surpris de la découvrir aussi vivante et volubile quand elle ne leur a pas posé une seule question de toute la journée, et a même semblé s'ennuyer par moments. Ils ont perdu Claire, pense-t-il, et ils sont en train d'en prendre conscience, elle ne revendiquera jamais une place parmi leurs enfants qu'elle ne connaît pas. Il se demande ce qu'il en sera pour les trois autres. David a semblé curieux de certains de ses oncles, mais le connaissant, autodidacte, dur et solitaire, Paul ne l'imagine pas cherchant à nouer un lien quelconque avec ses cousins. Il parierait que Coline, qui se revendique Mougeot plutôt que

Pranassac, ne bougera pas non plus. En tout cas, pas dans l'immédiat. La seule qui le fera peut-être sera Anna, qui ne cache pas sa colère à leur égard, signe qu'ils ne lui sont pas indifférents.

Il pensait à elle, et la voilà justement, avec son petit sac de voyage, suivie par sa mère et sa sœur.

— Je dois partir, papa, sinon je vais rater mon avion.

Alors tous se lèvent. « Mon Dieu, tu pars déjà ! Mais tu ne nous as même pas dit où tu vivais, ce que tu faisais… » Il y a comme un moment d'affolement. « À Belgrade, pour quelques mois, on en parlera une autre fois. — Oh oui ! Il faut absolument qu'on se revoie ! — On se reverra. On peut s'écrire aussi, demandez mon mail à papa. — Au revoir, Anna. Au revoir. Nous sommes tellement contents de te connaître ! – Oui, oui, si vous m'écrivez je vous répondrai. Au revoir, au revoir. » Tous l'embrassent, elle est à la fois tendue et souriante, touchée et agacée. Mon Anna, songe Paul, qui voudrait la prendre dans ses bras et lui redire qu'il l'aime, loin de cette agitation.

— Je t'accompagne à ta voiture, dit-il.

Et comme il contourne la maison derrière elle, il se rend compte qu'Esther les suit. Qu'est-ce qu'il croyait donc ? Elle aussi veut accompagner sa fille à sa voiture. Alors, arrivé au seuil du champ d'oliviers, il s'efface pour la laisser passer.

— Vas-y.

— Merci.

Anna ouvre sa portière, balance son sac à l'intérieur, et quand elle se retourne, elle fait face à ses parents.

— Tiens, murmure-t-elle, arrêtée dans son mouvement, ça faisait longtemps…

— Au revoir ma chérie, la coupe Esther en l'embrassant. Sois prudente sur la route, surtout.

— Au revoir, dit Paul. Merci d'être venue, mon Anna. Merci, c'était formidable.

— C'était bien, oui, dit-elle en s'engouffrant dans l'habitacle.

Ils la regardent attacher sa ceinture, démarrer son moteur et enclencher la première, puis s'en aller, et durant un instant ils agitent ensemble leurs bras.

— Bon, fait-il, retournant lentement vers la maison.

— Attends, Paul, je voulais te demander…

Il se retourne et l'attend.

— Ça m'a fait quelque chose, dit-elle, d'être ici avec les filles.

Elle s'essaie à sourire, à peine, il dirait plutôt un rictus.

— Je comprends, oui.

— Je voulais te demander… si tu accepterais qu'on partage les photos. Les albums de photos.

— Mais Esther…

— C'est moi qui te les ai donnés, je sais.

— Et maintenant tu voudrais que je t'en rende certains, c'est ça ?

— Qu'on les partage, oui. Parce que je n'ai aucune photo des filles petites, j'ai réalisé ça l'autre jour.

— Viens, dit-il, on va le faire tout de suite, on va monter dans mon bureau.

Il marche devant pour qu'elle ne voie pas combien il est troublé.

— Je monte un moment dans mon bureau avec Esther, lance-t-il au passage à ses frères et sœurs, nous n'en avons pas pour longtemps.

Ils traversent la véranda, puis la cuisine, et il la précède encore dans l'escalier.

Arrivés dans son bureau, il la prie de s'asseoir dans le vieux canapé.

— Tout est là, dit-il en lui désignant l'étagère du bas.

Lui s'agenouille pour sortir les albums, et comme il commence à les empiler sur le tapis, Esther se laisse glisser du canapé pour s'asseoir à sa hauteur.

— Choisis ceux qui te font plaisir, dit-il. D'autant plus que c'est toi qui les as tous faits, ces albums, hein. Moi, je n'aurais pas eu la patience.

Elle ne relève pas, ne croise pas son regard, penchée sur le premier qu'elle ouvre, puis referme aussitôt et repousse.

Alors, pour ne pas l'embarrasser, il se lève et va s'asseoir derrière son bureau.

— Prends ton temps.

De sa place, en surplomb, il peut voir combien elle est tendue, combien elle respire vite.

— Ah, dit-elle, celui-ci, je le veux bien. Je peux ?

Elle lève le regard vers lui, ce sont les photos de la naissance d'Anna, prises à la maternité. Il les voit à l'envers mais les reconnaît aussitôt.

— Bien sûr. Prends ceux qui te font plaisir, répète-t-il.

Elle acquiesce et pose l'album sur le canapé, derrière elle.

— Et si tu veux bien, celui-ci aussi.

Elle le tourne dans sa direction. Cette fois, ce sont les photos de la naissance de Coline.

Il fait oui de la tête.

— Ça ne va pas te manquer ?

Il croise son regard, y décèle de l'étonnement, ou peut-être de la gêne.

— Tu m'avais également laissé tous les tirages, toutes les boîtes, j'ai de quoi refaire un album pour chacune.

— Ah, d'accord.

Elle repousse les suivants à peine entrouverts, elle ne veut pas des voyages en Italie, des étés ici, dans la maison de Gardel, de leur mariage à la mairie avec Coline qui n'avait que trois semaines et Anna bientôt trois ans, elle ne veut pas de la Tunisie non plus. Mais sur celui-ci, soudain, elle hésite.

— Je le prendrais bien aussi, dit-elle en le tournant vers lui.

Celui de leur premier été avec Claire et David, dans la maison de location, au bord de la mer.

Celui de « Songer que je n'aurai jamais d'enfant de toi me brise le cœur ».

— Prends-le, dit-il.

Et voilà, c'est fini.

Elle se relève.

— Alors j'emporte ces trois-là ?

— Oui. Je vais te donner un sac en redescendant.

De nouveau il la précède dans l'escalier.

Tandis qu'il cherche un sac sous l'évier, il a conscience de sa présence silencieuse, debout au milieu de la cuisine. Un léger malaise en se la remémorant au même endroit, entre les casseroles bouillonnantes sur la cuisinière, Coline attendant sa petite purée dans sa chaise de bébé et Anna et Claire se disputant dans ses jambes – « Vous ne pouvez aller jouer dans le jardin, plutôt ? C'est bientôt prêt, je vous appellerai. » Elle avait été cette femme-là à trente ans, attentive et maternante, avant de tout envoyer promener.

— Tiens, dit-il, celui-ci n'est pas mal.

Il l'ouvre et tient les anses pour qu'elle y glisse les albums.

— Merci, dit-elle. Bon, je vais partir maintenant.

— Tu ne veux pas boire quelque chose ?

— Non. Au revoir, alors.

Elle n'ose pas l'embrasser, et lui tendre la main serait ridicule.

— Au revoir, dit-il en se détournant.

Et il feint de devoir revenir sous l'évier pour ranger quelque chose.

Puis il va dans la grande pièce et la regarde à travers la vitre embrasser ses frères et sœurs. Coline, qui l'a déchargée du sac des albums, met ses pas dans les siens, exactement comme elle le faisait petite, trottinant tout l'été derrière sa mère.

Ça y est, les au revoir sont terminés. Il les voit toutes les deux traverser le jardin en direction du petit portail. Coline s'est accrochée au bras de sa mère.

Mais soudain elle se détache et se retourne.

— Papa, crie-t-elle, maman s'en va !

Et elle marque le pas, tournée vers la maison, tandis qu'Esther s'est arrêtée un peu plus loin et se tient silencieuse.

Coline attend son père, et Esther ne l'informe pas que son père et elle se sont déjà dit au revoir.

Alors Paul sort de la maison en prenant l'air affairé.

— J'arrive, lance-t-il. Je terminais un truc.

Il les rejoint, et tous les trois marchent sur la petite route jusqu'à la voiture d'Esther.

— Rentre bien, mamounou, dit Coline en l'embrassant.

— Oui, rentre bien, abonde Paul.

Et comme Esther voit qu'il ne semble plus en colère, mais juste confus, elle l'embrasse rapidement.

— Merci pour les albums.

Ils la regardent partir.

— Mamounou..., dit doucement Coline. C'est bien, maintenant vous allez vous parler.

Paul reprend le chemin de la maison.

— Ben tu reparles bien à Agnès ! dit-elle en le rejoignant. Et comment elle s'appelle, déjà, celle que tu as connue en Allemagne quand tu écrivais le livre, là, dans une maison que tu voulais acheter ?

— Susanne, ma chérie.

— Tu la vois encore, elle ?

— Je lui téléphone, nous nous écrivons. Je l'aime beaucoup, mais elle est mariée.

— Et après tu as rencontré Sarah.

— Oui.

— À Susanne et Agnès, tu leur parles bien.

— Je vois que tu suis l'affaire de près, hein ? dit-il en riant.

— Tu m'avais dit qu'après maman tu ne serais plus jamais amoureux, et moi j'étais sûre du contraire.

— Laisse, on ne va pas parler de ça maintenant.

— Non, mais c'est bien la preuve que tu changes d'avis.

Franchissant le portail, il est surpris de les découvrir dans le premier crépuscule, complètement absorbés les uns par les autres, des profils tendus, des échines, des bras qui volent ici et là, de sorte qu'il songe à des comédiens continuant à jouer sur scène alors que les techniciens ont éteint les rampes depuis longtemps et que les spectateurs sont rentrés se coucher.

Comment n'a-t-il pas vu le jour décliner, lui si attentif à la lumière ? Il est contrarié, il aurait voulu partager ce moment avec ses frères et sœurs – « Regardez le ciel au-dessus de la vallée, on dirait qu'il flambe… » Durant un instant, il ne saurait pas dire s'il en veut à Esther d'être venue troubler cette journée ou s'il lui est reconnaissant de s'être invitée parmi les siens.

Il prend la chaise laissée libre par Esther, et Coline celle qu'occupait Anna. Il se souvient soudain que Sarah devait passer et il sait qu'elle ne viendra plus à cette heure-ci. Il aimerait être seul, maintenant, et s'installer dans son bureau pour réfléchir.

— Mon papa, dit Coline, en lui caressant furtivement le dos de la main.

— Tout va bien, ma chérie, ne te fais pas de souci.

« Toi, papa, lui a dit un jour Anna, tu ne vois même pas qu'on te cache des choses pour te protéger. — Mais comment ça ? Me protéger de quoi ? Tu crois que je ne suis pas suffisamment fort pour tout entendre ? — Suffisamment fort… ça ne saute pas aux yeux, non. » Et tandis qu'elle déviait la conversation avec cette rapidité d'esprit qui le sidérait chaque fois, Paul avait pensé à sa mère à laquelle il avait menti toute son enfance pour ne pas la voir pleurer, ou hurler. Et tiens, à propos de larmes, c'est Béatrice qui pleure, là, juste à côté de lui, prise dans un huis clos avec Christine.

Elles évoquent un événement grave qui a dû les éloigner à un moment, car Christine s'approche pour la réconforter – « Oh, dit-elle, je suis tellement désolée que tu aies pu croire une chose pareille. » Ludovic et Nicolas parlent d'un livre qu'ils ont aimé, un auteur polonais, apparemment, qu'ils comparent à Primo Levi, tandis que Sylvain, assis à côté de son père et les yeux clos, a les lèvres qui remuent comme s'il se récitait quelque chose. Maxime, qui ne filme plus, partage maintenant le banc avec David et lui tend une page d'un carnet à spirale sur laquelle il a noté quelque chose. Agnès et Adèle bavardent et se sourient – ma première femme et ma petite sœur bien-aimée, s'amuse Paul, inséparables depuis plus de quarante ans en dépit des trous d'air et des ruptures. Anne-Cécile s'est approchée de Claire et de Basile qui vient de prendre Jules sur ses genoux. Et Jasmine, où est Jasmine ? Ah, sur la terrasse avec Francky, on entend vaguement les échos d'un jeu qui se pratique avec des dés, genre jeu de l'oie, ou petits chevaux.

— Ça va, Paul ? s'enquiert Ludovic.

— Oui, vous avez vu comme les jours raccourcissent ?

— Octobre, hein… Mais la journée a été magnifique, aussi belle que celle de l'an dernier. Et c'est vraiment bien qu'Esther soit venue, c'est ce qu'on se disait pendant que vous étiez dans ton bureau. Elle aurait été la grande absente.

— Ah oui, dit Coline, moi je suis contente qu'elle soit venue !

Ludovic sourit de l'engouement de Coline, il l'observe un instant, comme charmé par sa façon d'être, puis il renonce à ce qu'il a voulu un instant lui dire, regarde sa montre, et soudain se lève.

— Dix-huit heures trente, les mecs, lance-t-il en se passant une main dans les cheveux, il faut qu'on y aille maintenant.

Plusieurs d'entre eux se lèvent. Agnès et Adèle promettent de se revoir très vite à Paris, puis la voix de Maxime couvre les rires et les exclamations – « Quand tu veux ! Quand tu veux ! » assure-t-il à David.

— Vous remontez d'une traite ? s'enquiert Christine, qui retient Béatrice par le bras.

— Oui, dit Ludovic, on a tous des trucs à faire demain. Et le grand a son vernissage.

— Nicolas ? s'étonne Christine.

— Ouais. Nicolas, explique à ta grande sœur au lieu de ricaner bêtement avec Maxime !

— Quoi ? Qu'est-ce que je dois expliquer ?

— Ton exposition. Au Jeu de Paume.

— Laisse tomber, on s'en fout.

— Mais pas du tout ! se défend Christine.

— Il le fait exprès, rigole Adèle. La dernière fois qu'il a exposé, j'ai été prévenue en ouvrant *Télérama*.

— Si vous voulez voir mon travail, vous n'avez qu'à passer chez moi. C'est ce qu'a fait Paul la dernière fois. Explique-leur, Paul.

— Bon, dit Christine, je t'appelle demain soir, Nicolas. Tu m'en diras un peu plus. Parce que nous, enchaîne-t-elle, on va faire escale à Lyon.

— Parfait, tranche Ludovic. Eh bien au revoir, les amis, merci de ton accueil, Paul, et n'oublie pas d'appeler quand tu passes par Paris.

Tout le monde s'embrasse, il y a des allers-retours précipités dans la maison pour des sacs à main ou des pull-overs oubliés, puis tous se retrouvent autour des voitures, sous les oliviers, dans le couchant qui se teinte maintenant de bleu. Claire porte son petit Jules et Coline a pris Jasmine dans ses bras. Les premiers à s'en aller sont les garçons dans la lourde Mercedes. Puis Christine, emportant Béatrice et Adèle. Alors Paul a le loisir de retenir un instant Anne-Cécile, déjà assise à son volant, pour tenter de la convaincre qu'il ne cherche pas à faire le mal en écrivant – « J'en suis convaincue, dit-elle en souriant, parce que je ne te crois pas mauvais, Paul, mais je n'en dirais pas autant de celui qui guide ta main. — Ah, le petit homme gris ! s'écrie-t-il. — Exactement ! » confirme-t-elle en lui adressant un sourire avant de claquer sa portière.

Puis David et Franck s'en vont, puis Agnès, et quand ils se retrouvent dans la cuisine, à la lumière électrique, au milieu de la vaisselle sale, Paul pressent qu'il doit rapidement organiser les choses. Autrefois, au temps où il rentrait des rares réunions de famille avec Agnès, dans des salles de couvent, généralement, il se sentait si triste qu'il lui arrivait de s'enfermer pour pleurer.

— Venez, ne restons pas là, dit-il à Claire et à Coline, on va s'installer au salon avec les enfants. Je vais préparer un dîner avec les restes. Je vous sers un verre de vin, en attendant ?

Il voit que ses mains tremblent en versant le vin, il se fait la réflexion qu'il avait oublié ce chagrin-là, celui d'avant ses livres, celui de ses vingt ans, fait de leur impuissance à vivre, à se parler, à s'entraider. Il avait pensé que s'il parvenait un jour à écrire, il les sauverait, et lui avec. Il n'avait sauvé personne, sauf lui, miraculeusement allégé de la peine des neuf autres par son exclusion. Il s'était efforcé de ne plus penser à eux, et en particulier aux « petits », à Ludovic, à Béatrice, à Adèle, à Maxime, à Basile. Mais ils venaient de le rattraper et leurs souffrances étaient intactes. « Quand on vous écoute, avait justement constaté David, on comprend que vous n'êtes pas encore guéris de votre enfance. »

Il prépare des petits sandwiches, une salade de fruits, et il apporte tout cela au salon.

Jasmine veut savoir à quel âge sa mère a su faire du vélo sans les petites roues.

— À quel âge, papa ? demande Claire.

— Quatre ans, cinq ans, quand on habitait sur l'île Saint-Louis, puisque c'est là que je t'ai acheté ton premier vélo.

— Oui, mais sans les petites roues ?

— Je dirais cinq ans. Tu ne voulais pas que je les enlève, et tu ne voulais pas pédaler non plus, d'ailleurs. On faisait le tour de l'île et je devais te tirer avec une ficelle. « Oui, mais moi je suis fatiguée... » Ça ne te rappelle pas quelque chose, Jasmine ?

Elle regarde sa mère et réfléchit, se demande ce que ça devrait lui rappeler.

— Mais toi, Claire, reprend Paul, tu t'en fichais un peu du vélo, ce que tu voulais, c'est que je te fabrique des petits bateaux qu'on mettait à l'eau à la pointe de l'île. Tu te rappelles ?

— Oh oui ! On passait tout le temps chez l'épicier lui demander qu'il nous garde des cagettes.

— Voilà. Et dans la semaine, pendant que tu étais chez Agnès, je construisais deux ou trois bateaux. J'essayais de faire de vraies coques, avec une quille en fer et une cabine.

— Et on écrivait une lettre qu'on mettait dedans au cas où quelqu'un trouverait notre bateau.

— Exactement. Je me demandais si tu allais t'en souvenir...

— On disait qu'on habitait sur une île où il n'y avait personne, juste moi, mon frère et notre père. On écrivait : « Je m'appelle Claire, j'ai quatre ans. Si tu trouves cette lettre, écris-moi, je voudrais bien avoir une amie. » Et on mettait notre adresse, 54, rue Saint-Louis-en-l'Île. Tu disais que des gens allaient peut-être trouver notre bateau échoué sur une plage, à Honfleur. Et chaque samedi je te demandais s'il n'y avait pas une lettre pour moi.

C'est incroyable la crédulité des petits, hein ?
N'empêche, chaque fois que je vais à Honfleur,
j'y repense.

— Et personne ne vous a jamais écrit ? s'enquiert Coline.

— Ben non, on est restés tout seuls sur notre île
comme trois crétins.

Cet ouvrage a été composé et mis en pages
par ÉTIANNE COMPOSITION
à Montrouge.

Imprimé en France par CPI
en juillet 2019

N° d'édition : 59002/01 – N° d'impression : 3033829